W9-CEK-296
赛尔号
战神联盟
⑭基因实验
绯然 著
QUANTUM
HEROES
浙江少年儿童出版社

QUANTUM
HEROES

QUANTUM HEROES
（人物介绍）
CHARACTERS INTRODUCTION
雷伊
LEIYI
战神联盟的成员之一，在发现了宇宙海盗利用小精灵进行残酷基因实验的阴谋后，积极展开救援，却没想到更大的阴谋在等待着他。
洛奇斯
LUOQISI
通过人工基因技术而创造出来的基因精灵，尽管拥有着比普通精灵更为强劲的体魄和力量，但总是遭到无情的利用。
多特
DUOTE
兰布达星的小精灵，他只是初级精灵，却积极地配合雷伊对抗基因精灵，而变得越来越勇敢。
斯科瑞
SIKERUI
由于他在无意中发现了一艘陌生的睡眠舱，从而把洛奇斯从沉睡中唤醒了过来，换来的结果却是一步错而步步错。
QUANTUM HEROES

勇敢的战神联盟啊，

用你们的勇气与生命，

粉碎宇宙中的一切阴谋诡计，

以维护浩瀚宇宙的和平与安宁！

因为你们，

就是宇宙中最强大的保护神！

《赛尔号 战神联盟》题记

················QUANTUM HEROES

赛尔号

战神联盟

QUANTUM HEROES

⑭ 基因实验

▷楔子 003

▶第一章　多格雅的牺牲 007
▶第二章　海盗基地的伏击 025
▶第三章　来自敌人的救援 045
▶第四章　探秘海盗基地 057
▶第五章　背叛的斯科瑞 071
▶第六章　激战宇宙海盗 081
▶第七章　宇宙混战 093
▶第八章　洛奇斯的反击 105
▶第九章　盖亚的救援 113
▶第十章　最后的决战 125

▷尾声 143

宁静的夜晚,银色的月光柔和地洒了下来,照在一片石林里,形成一片影影绰绰的阴影。

"砰!"

一个重重的撞击声突然打破了这片平静,碎石迸裂,尘土飞扬。

斯科瑞站在一块巨大的石头前,愣愣地看着石头上的缺口,两只拳头越捏越紧。

"砰!"

他终于控制不住自己,重重地用拳头又一次打在前方的巨石上。

可是巨石依然屹立原地，这一拳也不过是在上面又增加了一个小小的缺口而已。

斯科瑞愤怒地看着自己的两只爪子，喃喃地自言自语：“强大，我要更强大！”

他的语气中充满了对力量的渴求，眼神几乎疯狂。

要怎么样才能强大起来呢？像雷伊像盖亚那样强大！

他突然想到了什么，目光若有所思地朝后方的一个山洞看去。

那个东西一定能帮到自己吧？

斯科瑞咬了咬牙，很快从山洞里拉出一个梭形的船舱。船舱的正上方是透明的盖子，可以看到里面躺着一个精灵，两眼紧闭，表情安详，显然对方正处于一场漫长的睡眠中。

斯科瑞迟疑地在船舱的侧面摸了几下，上面写着一种奇怪的文字——他想了无数种方法，终于读懂了上面的意思。

他知道里面的精灵非常强大，如果能获得这种力量的话，那么他也能变成宇宙中最强大的精灵之一。

强大，强大，强大……

一个声音在他心中如饥似渴地重复着，而他仿佛受到了某种诱惑一般，一只爪子伸向了船舱的开关。

“咔嗒!”

透明的盖子缓缓打开，一股冰冷的寒气从缝隙中透出……

船舱中的精灵突然睁开了一双红色的眼睛，冷冰冰地朝斯科瑞看来。

CHAPTER 01

多格雅的牺牲

DUO GE YA DE XI SHENG

多格雅一眨也不眨地看着多特，开心地笑了："多特，你，你没事就好……"

“赛小息，阿铁打，卡璐璐听令！”

“是，雷蒙教官！”

“导航员刚刚探测到几个救生舱正朝两千公里外的兰布达星飞去，你们赶紧去查看一下情况。”

“是！保证完成任务。”

……

三天前的保证仿佛还犹在耳边，可是经历了三天枯燥的探查后，三个小赛尔和米咔已经被磨掉了所有的积极性。

这里是兰布达星，一个非常美丽的星球。重峦叠嶂，绿意浓浓，碧蓝的海洋占据了星球二分之一的面积。可是三个小赛尔完全没心情欣赏这里的美景。他们已经绕着这个星球走了一圈，却完全没有一点关于救生舱的线索。

“我们还是回赛尔号吧。”

“米咔！”

赛小息和米咔萎靡地一屁股坐了下来，却立刻被阿铁打打了回去：“不行！我们答应了雷蒙教官一定完成任务的，我宇宙战士可不是说话不算话的赛尔机器人。"说着，他朝卡璐璐看去，试图博得她的支持，"卡璐璐，你说……"

"哇！好可爱的精灵啊！"

卡璐璐完全没在意阿铁打说了些了什么，她的注意力已经被不远处的小精灵们吸引了过去。

原本疲惫不堪的她一看到可爱的精灵，顿时振作起精神，好像一阵风似的冲了过去。

那是一群黄绿相间的鸟形精灵和一个花朵形的小精灵，他们正愉快地欢笑着，嬉戏着。

NoNo在扫描后，立刻发出机械的声音，介绍道："多特，多格雅，卡季斯，草系精灵。"

其中最小的一个多特被卡璐璐吓了一跳，怯怯地躲到多格雅的身后。

卡璐璐连忙露出最甜美的笑容，自我介绍道："你们好，我是来自地球的赛尔机器人。别怕，我们赛尔机器人都是热爱精灵的好机器人。"

那个小多特害羞地探出头来，仿佛在说，真的吗？

好可爱！卡璐璐两眼都变成了红心。

这时，赛小息走过去问："多格雅，请问你们见过几个救生舱吗?它们是三天前飞到这个星球的。”

赛小息其实根本没抱什么希望,没想到多格雅竟然露出若有所思的表情,在 NoNo 的翻译下说道:“三天前吗?好像有……”

他话还没说完，就听到阿铁打突然大叫起来:“有杀气!”他利落地从背后拔出了他的斩月双刀。

赛小息先是吓了一跳,然后看了看四周,没好气地说道:“阿铁打,你又来了,别疑神疑鬼……”

“砰!”

一个突如其来的巨响打断了赛小息的话，紧接着又是两声巨响。

“砰!”“砰!”

爆炸声接连地传来,前方的巨石一块块地被炸开,碎石四溅,尘土飞扬,就像是沙尘暴突然来袭似的。

一片灰色的烟尘中,一个棕色的身影猛地蹿出,急速地朝这边飞驰而来。紧跟着,一个黑色的身形也蹿了出来,一道红色的激光自他手中飞射而出。

“啊!”逃亡者被击中了背心,惨叫着向前飞去,最后重重地撞在一块岩石上。“嚓”的一声，岩石上出现蛛网一般的裂纹,并迅速地扩散开去,眨眼间就碎裂成千万片。

“嗖!”追击者又发出两道红色的光波射向倒地不起的逃亡者。

三个小赛尔和精灵们都紧张地惊呼出来,赶忙朝他们跑了过去。

就在这千钧一发之际,逃亡者似乎也意识到了情况不妙,也没起身,直接用一个狼狈的驴打滚躲过这一击。

“多格雅!”逃亡者起身的时候看到了多格雅,惊喜地叫道,飞快地朝他这边逃来。

“斯科瑞!”多格雅定睛一看,也认出了对方。

斯科瑞是战斗系的高级精灵,虽然长相可爱得像是一只胖嘟嘟的泰迪熊,但他的实力非常强劲。

这个追击者能把斯科瑞逼到这个地步,显然是一个非常强悍的精灵。

“斯科瑞,这到底是怎么回事?”多格雅赶忙问道。

他话音刚落,追击者已经在十来米外,对方的容貌也清晰地映入三个小赛尔和精灵们的眼中。

那是一个陌生的人形精灵,黑色的身体,全身都布满了金属般的鳞片,背后有一条长长的好像蜥蜴一般的尾巴,时不时甩动着。对方二话不说就发出了两道光波，好像利箭一样射来。

“急速拳气!”斯科瑞的反应很快,立刻重重地挥出两拳,棕色的拳影准确地撞上两道光波，可是只在半空中僵持了一秒，就被压制住了——红色的光波推动棕色的拳影一点点地向斯科瑞逼近。

“我砍!”阿铁打挥着双刀飞跃过去,双刀重重地砍在光波和拳影的交集之处。

“轰!”

好像原子弹爆炸似的,原地炸出了一朵大大的蘑菇云,四周的岩石更是被炸得面目全非。碎石如暴雨般洒落,发出“咚咚咚”的响声,也弄得阿铁打灰头土脸。

“你是谁?停止攻击,否则我不客气了!”阿铁打烦躁地发出警告。

赛小息和卡璐璐赶忙响应道:“没错!再不停手,我们就不客气了!”

“米咔!”米咔气鼓鼓地点了点头,蓄势待发。

“%￥&@*……”蜥尾精灵发出一连串奇怪的声音,火红色的眼眸中好像要喷出熊熊的火焰来。他看起来很气愤,可是他说的话他们一个字也听不懂。

NoNo 金色的电子眼急速地闪了好几下，呆板地宣布道：“无法识别的精灵语言。无法识别的精灵语言。”

三个小赛尔都是大吃一惊。NoNo 是赛尔号为赛尔先锋队特意配备的，拥有强大的功能，储存了将近 99.9%的精灵语言。这还是他们第一次遇到 NoNo 无法翻译的精灵语言。

难道这是一个来自宇宙的尽头，甚至是另一个宇宙的精灵？三个小赛尔和精灵们面面相觑，却见那个蜥尾精灵仰天怒吼起来。

“啊啊……”

那声音凄厉至极，让听者毛骨悚然，不寒而栗。

大家惊讶地发现不可思议的一幕在眼前发生着，蜥尾精灵的四周越来越亮，形成一个半径一米的白色光球，而那球体之外，则越来越暗，仿佛周围的光芒都被他给吸到了身边。而且形势还在越来越糟，那个光球的体积在渐渐地变大，而四周仿佛是夜晚提前来临一般，越来越暗了。

那些初级的多特们看着天空越来越黑，十分惶恐，瑟瑟发抖，还有的甚至害怕得哭了起来。

阿铁打第一个冲了过去，双刀如虹：“我打！”

与此同时，赛小息也对米咔下令："小米，光线攻击！"

"米咔！"米咔大叫一声，金色的光线从他额心射出，朝敌人直击而去。

"￥%@……"蜥尾精灵发出几个古怪的单词，然后那白色的光球就分裂成了一个个棒球大小的小球，飘浮在他身体的四周。他长而有力的尾巴一甩，那些小球就像是接到命令的小兵似的猛然提速，不过是一秒钟，就从静止提升到光速，好像一片弹雨般朝着各个方向密密麻麻地发散出去。

"砰！"

"轰！"

"咚！"

爆破的声音此起彼伏地响起，不止是三个小赛尔，连周围的精灵们都被余波波及，狼狈地躲闪着。

就在这一片混乱中，一声惊慌的叫声显得如此刺耳："多特，小心！"

然后是爆破声和闷哼声混杂在一起：

"砰！"

"唔……"

三个小赛尔虽然忧心忡忡，却根本无法分心理会。他们的攻击在这片枪林弹雨中是如此不堪一击，一眨眼就能被打得溃不成军，只见更多的光球还在疯狂地朝他们袭来……

就在这危急时刻，他们突然听到一个熟悉的声音高喊着："极电千鸟！"

随着喊叫声，无数金色的小鸟拍着翅膀飞了过来，和那些白色的光球撞击在一起。

"轰！"

两种能量的撞击，发出更强烈的光芒，把周围照得白茫茫的一片，刺得大家睁不开眼。

等一切平静下来时，三个小赛尔发现他们身前多了一个金色的精灵，修长的身形如同闪电一般，如此英武不凡。

"雷伊！"三个小赛尔激动地叫了出来。

没错，这个在紧要关头救了他们的精灵就是雷伊，宇宙中最强大的精灵之一。

雷伊的到来让三个小赛尔放下心来，笑意溢于言表，可是很快他们就笑不出来了。

"多格雅！"多特悲痛的声音从后方传来。

雷伊和三个小赛尔赶忙循声看去，只见不远处多格雅正紧紧地把那个最幼小的多特压在身下，他的背上满是伤痕，触目惊心。显然，刚才他以自己的背为盾牌挡住了敌人的攻击，保护了多特。

多特赶忙从多格雅的身下爬了出来，担心地看着他，声音微微颤抖："多格雅，你还好吧？"

多格雅全身伤痕累累，原本鲜艳的尾羽残缺不齐，就像是一个破烂的玩偶一般躺在地上一动不动。

"多格雅！"多特既难过又内疚地半抱起多格雅，试图唤醒他，可是多格雅仿佛睡死了，一点反应也没有。这让多特的心脏猛地抽筋，它喃喃自语道："这都是我的错，我太没用了。要不是为了救我，多格雅也不会……"说到后来，多特已经泪如泉涌，根本就说不下去了。

"多特，别哭了。多格雅一定会没事的，他一定会好起来的。"卡璐璐走过去，试图安慰多特。

多特好像是溺水的人抓住了一根水草似的，眼中闪出希望之光。他擦了擦泪水，对自己说："没错，多格雅一定会没事的，他一定会……"

多格雅仿佛听到了多特的声音，眼皮动了动，然后艰难地睁开了眼睛，虚弱地唤道："多特……"

"多格雅，你醒了！"多特露出惊喜的笑容，又哭又笑，心里

有一个声音在欢呼着:太好了!多格雅没事!

多格雅一眨也不眨地看着多特,开心地笑了:“多特,你,你没事就好……”

多格雅的笑容如此美丽,如此灿烂,可是多特却再也笑不出来,泪水仿佛决堤的洪水般汹涌而下。他无法继续欺骗自己了,此刻,只有他发现怀中的多格雅越来越轻……他知道这是精灵死亡的前兆。他的心如坠入地狱一般寒冷彻骨。

“多格雅!”多特歇斯底里地再次大声叫着,试图唤回多格雅的灵魂。但一切都是无济于事,多格雅的身体已经变得半透明了,而且颜色还在越来越淡……很快,他就变成一颗颗晶莹的光点,风一吹,很快就消散在空气中。

这一幕把周围的小赛尔和精灵们都震慑住了,卡季斯和其他的多特纷纷流下了伤心的眼泪,反复地叫着他们的朋友多格雅的名字,然后用充满仇恨的目光看向了罪魁祸首——那个蜥尾精灵。

“你杀害了我们的朋友,我们要为他报仇!”不知是哪个多特第一个叫了出来。

跟着其他的多特也骚动了起来,纷纷响应着:

“没错,我们要为多格雅报仇!”

“这个凶残的精灵根本就不配活着！”

“惩罚他！惩罚他！”

不仅是小精灵们群情激奋，雷伊和三个小赛尔也已经压抑不住心头的怒火，目光锐利地朝那个蜥尾精灵看了过去。

刚才的那一击显然已经消耗了对方大部分的力量，此刻的他看起来虚弱极了，那伛偻的身形仿佛随时都有可能倒下去。但那个精灵并没有因此气弱，依然桀骜不驯地看着他们，仿佛在俯视着一群微小的蝼蚁一般。

“你是谁？为什么要伤害这些精灵？”雷伊正气凌然地质问道。

“#$%￥&@*……”

蜥尾精灵再次发出一串他们听不懂的音节，而他的四周再次出现一个白色光球，只是这一次光球的体积明显小多了。

雷伊一看对方毫无悔改之意，也不再客气。他仰天长啸，金色的光点疯狂地涌向了他的四周，如此密集，如此耀眼……

三个小赛尔和精灵们都激动地为他鼓起劲来：“雷伊，加油！”

“雷伊，干掉这个浑蛋！”

“雷伊，一定要为多格雅报仇啊！”

"……"

但这些杂乱的声音都没有传入雷伊的耳朵里,此刻,他的眼里只看到他敌人——这个神秘又陌生的蜥尾精灵。

雷伊曾走遍全宇宙,却不曾见过这种精灵,不由得暗忖:这个精灵到底是谁?

对方突然笑了,四周的白色光球随之骤然消失。接着,他冷静地伸出了右臂,然后左手按向右臂的腕间……

三个小赛尔和精灵们都以为他要使出什么可怕的绝招,紧张地屏住了呼吸。

可谁也没想到的是,蜥尾精灵不过是把右腕上的手表轻轻地按了一下,然后那个手表的表面就发出银白色的光点,好像萤火虫一样绕着他飞了一圈又一圈,跟着越飞越快,越飞越快,只剩下一片银白色的光影。

"噗!"

银白色的光影好像是被戳破的气泡似的不见了,而令大家震惊的是那个蜥尾精灵也不见了,像是尘埃一样消失得无影无踪。

怎么会这样?三个小赛尔和精灵们面面相觑,完全搞不清楚状况。

阿铁打大着胆子走到了蜥尾精灵消失的位置，可是任他怎么查看，也是一无所获。

多特们再次躁动起来，七嘴八舌地议论着：

“这到底是怎么回事?”

“难道是他自知罪孽深重，所以自我毁灭了?”

“我看他本来就已经是强弩之末，现在终于支撑不住，所以就化为尘土了。”

说到底，这些都只是猜测，一时间谁也下不了定论。

一片嘈杂中，雷伊冷静地看着那个蜥尾精灵消失的地方……他知道其中一定有问题，可是又说不出问题在哪里。

这时，卡璐璐突然大声说道：“我觉得他没有死，他应该只是用某种方法转移到了别处。”

精灵们都安静下来，齐齐地朝卡璐璐看去，目光灼灼。

“我想他手腕上的手表应该就是某种转移装置，把他分解成分子转移到另一个地方再重新组合。如果我的猜测没错的话，那么这个分解转移的过程应该会释放大量的能量。”卡璐璐一边解释，一边指着旁边闪烁着电子眼的 NoNo 说，“我们赛尔号的 NoNo 配有最新的探测雷达，可以追踪能量的轨迹，应该可以探测出那个精灵到底转移到什么地方去了……”

“不过那需要一点时间。”赛小息抢着说道，带了几分邀功的意味，“大家请别着急。”

NoNo 的电子眼还在急速闪烁着，显然一时间出不了结果。

雷伊沉吟一会儿，问道：“赛小息，阿铁打，卡璐璐，你们知道那个精灵是谁吗？这到底是怎么回事？”

卡璐璐急忙把刚才发生的事一五一十地告诉了雷伊，于是把焦点引向了狼狈不堪的斯科瑞，正是他引来了那个可怕的蜥尾精灵。

“斯科瑞，这到底是怎么回事？”雷伊问出了大家的心声，“那个精灵为什么要追杀你？”

斯科瑞不好意思地看着大家，讷讷地说道：“其实我也不知道他是谁……”

他话还没说完，那个最小的多特已经激动地打断了他：“怎么可能？他干吗无缘无故地追杀你？”多格雅是多特最尊重的精灵，他的牺牲让多特在伤心和愤怒之余忘了平时的羞赧。

“先别急，听听斯科瑞怎么说。”卡季斯赶忙拍了拍他的背，安抚道。

“昨天夜里，我在兰布达星北边的冰山里发现了一个救生舱。”斯科瑞继续道,“救生舱里面有一个精灵,没错,就是刚刚那个追杀我的精灵。我猜测他也许是遇到困难的外星精灵,就打开救生舱想把他救出来。可我没想到的是,这个精灵恩将仇报,苏醒之后,就对我发起了攻击。他的实力太强大了,我实在打不过他,只好一路逃跑,我也没想到事情会这样。”说着,他自责地垂下了头,“都是我的错,我没搞清楚状况,就随便把那个精灵给放了出来。要不是因为我的大意,多格雅也不会……”他哽咽着说不下去了。

四周静默一片,善良的小赛尔们和精灵们也不忍心再责备斯科瑞了。

好一会儿后,多特终于冷静了下来,道:“不,要怪也该怪我。都是我自己没用,连累了多格雅。”他抬起头,一脸愧疚地看着斯科瑞,“斯科瑞,对不起,我不该迁怒你。这不是你的错,你别太自责了。”

三个小赛尔和其他精灵们也纷纷安慰斯科瑞:

“没错,斯科瑞,你也是好意,想帮助别的精灵。”

“斯科瑞,你也不可能预知到那是一个邪恶的精灵。”

“斯科瑞,错的不是你,而是那个精灵。”

“……”

雷伊大步走到斯科瑞的面前，郑重其事地说道："斯科瑞，大家说得没错，你不要太自责了。帮助别的精灵是一件好事，虽然有时候结果不是我们预想的那样，但是如果因此心怀顾忌，不敢去帮助别的精灵，那反而就是本末倒置。我们不能因为一个坏精灵的错，就去惩罚一个善良热心的好精灵。"

"雷伊，还有大家……"斯科瑞抬起头来，咖啡色的眼眶中盈满了晶莹的泪水，感动地看着精灵们，"谢谢你们！放心吧，我不会因噎废食，但是这次的事确实给了我一个沉痛的教训，往后我会更小心更谨慎，三思而后行。"

"滴……"

这时，卡璐璐的 NoNo 突然发出机械呆板的声音："探测结束，目标锁定。"

找到那个精灵了！

一想到这点，大家都自觉地安静了下来，紧张地等待着。

四周一片寂静，也显得 NoNo 的声音尤为响亮：

"目标已传送至，海盗基地星。"

QUANTUM
HEROES
CHAPTER 02
海盗基地的伏击
HAI DAO JI DI DE FU JI
眼看海盗大军逼近，三个小赛尔感激地看了雷伊一眼，心想：还好有雷伊，否则他们就都中了艾里逊的“瓮中捉鳖”之计，上天无路，入地无门了！

第三章

“海盗基地!”

不止是三个小赛尔,所有精灵们都为这个答案惊诧不已,齐齐地惊呼道。

就在兰布达星几千万公里的地方,有一个未命名的小行星。有一天,宇宙海盗的大部队占领了那个行星,并在那里建立了海盗基地。海盗的恶名几乎响彻整个宇宙,他们烧杀掳掠,无恶不作,精灵们避之不及,从此那一带就变成了众所周知的禁地。

“我知道了!”最小的多特越想越生气,皱起小脸,愤怒地叫道,“那个精灵肯定是以为我们不敢去海盗基地找他,所以才逃到那里去。他真是太狡猾了!”

“可恶,我一定要找到他,为多格雅报仇!”斯科瑞死死地握着拳头发誓道。

“不,你不能去。”雷伊出声阻止了他。

“可是……”

斯科瑞还想说什么,再次被雷伊打断:“斯科瑞,你现在受了重伤，对于你来说，最重要的是好好养伤。报仇的事，就交给我吧。”他拍了拍胸膛，许下诺言。

雷伊作为宇宙中最强大的精灵之一，赫赫有名的战神联盟的一员，当然具有足够的威信，没有一个精灵会怀疑他说的话，可是——

“那太危险了！”卡季斯担心地说道，“雷伊，我相信你一定能打败那个精灵给多格雅报仇。可海盗基地实在是太危险了，如果被海盗发现的话，你就会腹背受敌的。”

“不用再说了。”雷伊坚定地抬起右臂阻止他继续说下去，“我知道海盗基地很危险，但是我必须得去。”

小赛尔们和精灵们全都看着雷伊，心都不由得为了这句话而激荡起来。

“雷伊，我跟你一起去！”阿铁打突然拍着胸膛大声说道，“海盗算什么，我宇宙战士打得他们落花流水！”

“还有我们！”赛小息和卡璐璐也紧跟着响应道，“雷伊，我们的小飞船就在附近。”

雷伊沉吟一会儿，终于同意了三个小赛尔跟他一同前往。

“雷伊，你要小心啊！”

“三个小赛尔，你们也是！”

……

在精灵们不厌其烦的嘱咐中，雷伊坐上三个小赛尔的小型宇宙飞船，“嗖”的一声飞向了蓝天，很快就越飞越高，越飞越高，而下方的精灵们也越来越小，很快就什么也看不到了。

小型宇宙飞船猛地加速，穿过大气层，飞向无边无际的宇宙。

海盗基地位于兰布达星的西南方，越靠近那个方向，就越是荒芜。

渐渐地，他们遇上的精灵越来越少，他们路过的星球也越来越贫瘠，显然精灵们都对蛮横的宇宙海盗避之唯恐不及。

也不知道过去了多久，一个土黄色的小行星出现在前方，只见它看起来光秃秃的，除了石山和沙漠，什么也没有，似乎所有的能源已经被海盗给压榨完了。

“那就是海盗基地所在的小行星。”赛小息指着主屏幕上的小行星说，“据我所知，海盗基地就在小行星的最北边。”

卡璐璐接着说道：“根据 NoNo 的探测，那个精灵应该是转移到了星球的中部，距离海盗基地大约有半个星球的距离。”

“太好了。这样我们被海盗发现的可能性会小很多。”

“我们下去吧。”

“嗯。”

小型宇宙飞船化成一道虚影朝下方的小行星进军。

穿过大气层,又直线下降了一千多公里,雷伊和三个小赛尔发现越靠近地面,周围的雾气越浓,就像是一层层朦胧的纱巾飘荡在空气中。

卡璐璐赶忙降低小飞船的速度,小心翼翼地将它降落在一片荒芜的黄土地上。

雷伊和三个小赛尔从小飞船中跳了下来,打量着四周的环境。

地面上的雾气越发浓重了,可视范围不出方圆十米。除了地面上凌乱的石子,他们根本什么也看不到。

“卡璐璐,我们该往哪边走啊?”赛小息摸着后脑勺,完全没有头绪。

卡璐璐还没回答,就见雷伊的耳朵动了动,警觉地朝某个方向看去:“这是……”

“怎么了,雷伊?”赛小息有些紧张地问。

“米咔?”米咔也是一脸紧张地看着雷伊。

雷伊收回了视线，严肃地说道：“我听到了脚步声……”

“是那个精灵？”阿铁打急急地打断了他。

“不。”雷伊摇了摇头，“那脚步声跟精灵不一样，而且应该不是单个个体发出来的，有好多……”说到这里，他想到了什么，面色一沉。

不止是他，三个小赛尔也想到了，齐齐地惊呼道：“是海盗！”

难道海盗发现了他们的踪迹？他们的心中同时涌上了这个疑问，然后下一个问题出现了——

他们是该正面与海盗作战，还是……

“我们先找个地方躲起来吧。也许海盗只是偶然路过这里。”

三个小赛尔急急地拉着雷伊躲到一堆石头后，静静地等待着。

没过多久，西北方就传来若有似无的脚步声，并且越来越清晰，“啪嗒啪嗒……”是机器人沉重而单调的脚步声。看来雷伊猜得没错，果然是海盗来了。

三个小赛尔都紧张得屏住了呼吸，唯恐海盗会发现他们的行迹。

“啪嗒啪嗒……”海盗的脚步声越来越近，数量似乎不少，连地面的尘土都被震得微微飞扬起来。

俗话说,怕什么来什么。

三个小赛尔希望海盗尽快离开，可是海盗们偏偏在距离他们不到十米的地方停下了脚步。

难道他们的行迹暴露了？小赛尔们的心扑通扑通地越跳越快。

“呼叫艾里逊老大。”一个海盗杂兵突然说道。

紧接着是“嘀嘀嘀”的声音,似乎正在连线中。

“喂,是谁啊?”一个粗鲁的声音伴着轻微的“嗞嗞”声响起,显然是从扩音器里传来的。

“艾里逊老大,小的是杂兵 7013 号,现在已经到了 3 号区域,请问老大接下来该往哪边走啊?”海盗杂兵谄媚地问道。

“我不是说了,那个蜥蜴尾巴的精灵往 4 号区域的山谷去了,给我快一点!要是让他逃了,小心我把你做成马桶!”艾里逊恶狠狠地威胁道。

“是老大,我这就去。”海盗杂兵慌乱地应道。他话没说完,只听“啪”的一声,艾里逊那边已经掐断了通信。

“小的们,快跟我来,朝 4 号区域出发!”

在那个海盗杂兵一声高呼下,其他的杂兵们都齐声响应,踩着凌乱的脚步很快就没入浓浓的雾气中。

赛小息从石头后探出脑袋往海盗们离去的方向看了看，确定他们的影子已经快变成一个黑点了，这才放心地压低声音分析道:“蜥蜴尾巴的精灵？那不就是那个杀死多格雅的精灵吗?”

“我也觉得很有可能。”卡璐璐附和道。

“我们得赶紧追上去才行。”阿铁打急躁地说道,“雷伊,你刚才也听到了,海盗们也在追击那个精灵,万一他落入海盗们的手中,那么多格雅的仇就没希望报了。”

“没错,我们必须赶在海盗前面才行。”赛小息和卡璐璐也同意他的看法。

三个小赛尔越想越觉得有道理，异口同声地说道:“我们得赶紧追过去才行。”话音刚落,他们已经朝海盗离开的方向飞奔而去。

雷伊皱了一下眉头,总觉得有些不对,但也只能追了过去。

他们小心地跟海盗们保持了一段距离,一边躲藏,一边追赶着……很快,一片山谷出现在前方的雾气中,朦朦胧胧,两边的高山好像两个高大的守护神一般守卫着中间的羊肠小道。

前方的一个海盗杂兵突然激动地说道:“7013号,那个可恶的精灵应该就在前面了吧?”

“按照艾里逊老大的指示,应该是那里。”7013号海盗杂兵肯定地回答。

“那个可恶的精灵居然打伤了我们这么多同伴,待会儿我非要让他好看才行!”

“没错!把他送到最可怕的矿场去干活。”

海盗们一边说,一边朝山谷走去,声音渐行渐远。

等他们的声音完全听不到了,三个小赛尔和米咔急忙从躲藏的地方冲了出来。

相较于前方的两座高山,三个小赛尔的身形看起来如此娇小,一瞬间,雷伊有了一种不妙的预感。

“大家先等等,我觉得有些不对!”雷伊的身形如闪电般移动,挡在了三个小赛尔的前方。

三个小赛尔面面相觑,冲动之后,终于冷静了下来。

卡璐璐花容失色地说道:“难道这是海盗的陷阱?”

“肯定是海盗的陷阱!”赛小息急急地应道,转身就想跑,“我们赶紧离开这里吧!”

他们正要离开，却发现周围的雾气突然开始急速消散，就像是有什么怪物骤然之间把雾气都吞进了肚子似的，怎么都觉得不太正常。

仿佛为了验证他们心底的不安，后方传来沉重而凌乱的脚步声，“嗒嗒……”同时还伴着某个熟悉而愤怒的声音：“气死我了！难得本大人精心为你们准备了这个陷阱，你们居然不上钩？”

话语间，一个蓝紫色的机器人领着一群银白色的海盗杂兵出现在他们的后方。

只见那个带头的机器人头上长着一对银白色的牛角，金色的半月形电子眼看起来很是阴险。

“艾里逊！”雷伊和三个小赛尔一下子把对方给认了出来。

“没错，我就是海盗欧比组织的第四把手——艾里逊。”艾里逊得意地大笑不止，指着雷伊和三个小赛尔对后方的海盗杂兵们下令，“哈哈，小的们，快把雷伊和这三个低等机器人给我抓起来！”

眼看海盗大军逼近，三个小赛尔感激地看了雷伊一眼，心想：还好有雷伊，否则他们就都中了艾里逊的“瓮中捉鳖”之计，上天无路，入地无门了！

“大家快跑啊!”

不知道谁喊了一句,三个小赛尔和米咔拔腿就跑。

见状,艾里逊嚣张地大笑起来:“别浪费力气了,你们是逃不掉的!”说着,他拿出一个遥控器重重地按下其中的红色按钮。

“轰隆隆!”

下一秒,地面剧烈地震动起来,越来越激烈,震得周围的石头都四处滚动,三个小赛尔更是东倒西歪得差点没摔倒。

“轰隆隆!”

在那震耳欲聋的轰鸣声中,雷伊和三个小赛尔发现四周的地面出现一个又一个大洞,然后一艘艘海盗激撞炮从洞中升上地面,每一艘激撞炮上都坐着四五个持枪的海盗杂兵,密密麻麻地围成了一圈。一时间,所有的炮口和枪口都对准了雷伊和小赛尔们,他们陷入了四面楚歌的危险境地。

这个可不妙啊!三个小赛尔的脸色变得十分难看。

相比之下,艾里逊倒是人逢喜事精神爽。

“哈哈哈,让你们见识到我们宇宙海盗的厉害了吧!这个基地星可是有二分之一都经过了我们的改造,无论是什么样的敌人来了,都别想回去!”艾里逊趾高气扬地双手叉腰,“嘿嘿，雷伊，这一回，你可别想逃出我艾里逊的手掌心！别说我没给你机会，立刻向我们宇宙海盗投降，没准我还可以封你做我的首席精灵。”

“呸！”雷伊不屑地啐了一声，“我是绝对不会向海盗投降的。”说着，金色的光点已经流转在他的四周，并迅速地朝他的双拳聚集……

“没错！”三个小赛尔虽然心里害怕，但在海盗面前还是不肯示弱地挺起了胸膛，“我们是绝对不会向海盗屈服的。”

“米咔！”

艾里逊气得差点没头顶冒烟，暴跳如雷地指着雷伊和三个小赛尔下令道：“给我干掉他们！把他们打成马蜂窝！”

“是！”海盗杂兵们齐声领命，纷纷拿起手中的武器发射。

“咻！”“咻！”“咻！”

数以千计的红色激光夹杂着强劲的激撞弹从四面八方朝他们砸去。

而雷伊和三个小赛尔毫不畏惧，背靠在一起，纷纷施展出绝招应付眼前的困境。

“极电千鸟！”

“米咔，光线攻击！”

“看我的斩月双刀!”

“布布种子,出来吧!”

“……”

雷伊发射出无数的金色光球；阿铁打敏捷地挥舞起他的斩月双刀;赛小息和卡璐璐也分别指挥他们的精灵应战。

“砰!”“砰!”“砰!”

红色、金色、绿色……各种能量激烈地撞击在一起,然后爆炸开来。

他们还没得到喘息的空间，敌人下一波的进攻已经“嗖嗖”地再次来袭,周围一片枪林弹雨。

雷伊发出愤怒的吼声,身上的能量急剧爆发,形成一股巨大的金色光波,将他正前方的所有激光彻底吞噬,然后持续爆发,直接射中了四五个海盗。

“啊!”那些海盗惨叫着撞在后方的山壁上,然后从山上滚了下来。

可是很快,旁边的海盗又补在这些空位上,继续举枪发射出一道道激光束,势头根本没有削弱半分。

“砰!”“砰!”“砰!”

激光束再一次射来,一波接着一波,好像永远没有尽头……

虽然强大的雷伊攻下了一个又一个的海盗杂兵，可是那些倒下的海盗杂兵不过是沧海一粟，根本就对战局没什么影响。

“砰！”“砰！”又是一波波此起彼伏的爆炸声。雷伊已经记不清他们坚持了多久，他知道如果再想不出办法的话，他们将力竭于此。

就在这时，耳边突然传来一声惨叫：“啊！”

“赛小息！”雷伊紧张地朝右边看去，只见赛小息和米咔被几道红色的激光束击中，浑身抽搐不已，然后无力地倒下来，一动不动，也不知道伤势到底如何。

“卡璐璐，你没事吧？”阿铁打一边挥舞双刀抵御敌人的攻击，一边担忧地朝卡璐璐看去。

雷伊这才注意到卡璐璐不知何时也已经精疲力竭，身上随处可以见焦黑的伤口，就连阿铁打身上也是东一块凹西一块凸。

很显然，三个小赛尔都已经是强弩之末，支撑不了太久了。

这一幕彻底地激怒了雷伊。他双眼一片血红，仰天长啸一声，发动体内所有的能量，无数的金色光点汹涌地聚集在他四周，变成一个巨大的光球……

就在这时，艾里逊嚣张的声音再次响起："雷伊，也许你拼死一搏，有办法逃脱，可是你后面的这三个低等机器人呢？"

他说话的同时，周围的海盗杂兵们已经缩小包围圈，三个小赛尔和米咔被团团围住，所有的枪口都对准了他们。

雷伊眉头一皱，又看了看虚弱的伙伴们，双拳死死地紧握成拳。如果只是他孤身而来，就算战死，他也绝对不会向海盗投降。可是三个小赛尔该怎么办？

一种无力的感觉迅速占据他的全身，原本凝聚在他四周的金色光点像是断电的灯泡似的暗了下去。

这显然表示着他的放弃……

阿铁打紧张地叫了起来："雷伊，你不能投降。我们可以继续战斗的！"他的眼里写满了赴死的决心。

"没错，我们可以战斗的。"赛小息吃力地从地上爬起，可是他的伤势太严重了，身体摇摇晃晃的。但就算如此，他还是坚定地说道："不要管我们，哪怕只有你能逃走，也比全军覆没的好。"

"米咔！"

雷伊心情沉重地看着他们，还没说话，艾里逊已经狠狠地下了最后通牒:“雷伊,如果你敢独自逃走的话,我就把这三个低等机器人变成宇宙的尘埃!”说着,他拿出一个有点眼熟的手表,“雷伊,你还记得这个吗?”

雷伊和三个小赛尔都是双目紧盯,记起了那个蜥尾精灵手腕上的手表,心想:难道那个精灵和宇宙海盗勾结在一起了?

艾里逊得意地一笑:“这是空间转移器,如果你不投降的话,我就把这三个低等机器人传送到黑洞里,让他们被黑洞的引力撕成碎片。就算是一个小碎片,都将永远被束缚在黑洞中,无法脱离。雷伊,现在我给你三秒钟考虑,3,2……”

雷伊深吸一口气,果断地说道:“我投降。”

“雷伊!”三个小赛尔不敢置信地叫了出来。他们还想说些什么来劝雷伊改变主意,却被他一个抬臂的动作打断。

“不用再说了,我已经决定了。”雷伊坚定地说道。

“……”

见状,艾里逊越发得意了:“哈哈,抓到了雷伊,迪恩大将军一定会表扬我的……”说着,他不知道从哪里拿出几个紫色的圆球,往半空中一丢。

那几个圆球“噗”的一声分别在雷伊和三个小赛尔的上方

对半爆开，各弹出一张直径至少五米的银白色电网，好像是几头猛兽对着他们张开了血盆大口。

“嗞啦啦——”

电网在碰到他们的那一刻，自动地缩紧，把他们缠成一团。剧烈的电流流遍了雷伊和三个小赛尔的全身，刺眼的银白色电流火光四射，凄厉的惨叫声回荡在空气中……

“啊！”

“哈哈！”他们的惨状让艾里逊大笑不止，他嚣张地走到三个小赛尔和米咔的身边，看着雷伊，恶狠狠地说道：“雷伊，你知道吗，我们宇宙海盗是最不懂得遵守诺言的！”

“你！”

“艾里逊，你真是太卑鄙了！”

雷伊和三个小赛尔气得想要从地上爬起，可是电网上的电流顿时变得更激烈了，又让他们无力地倒了下来。

“哈哈哈，雷伊也不过如此。”艾里逊轻蔑地一笑，随手把那个手表往三个小赛尔和米咔身上一丢。一瞬间，那个手表的表面就发出银白色的光点，把他们笼罩在其中。

等银白色的光芒消失后，三个小赛尔和米咔已经消失得无影无踪，连一点尘埃也没有留下。

“不!”

雷伊激动地叫了起来,他的声音响彻云霄,仿佛连整片大地都为之震动。

“嗞啦啦!”粗壮的电流随着叫声走遍雷伊的全身,他四肢抽搐不已,然后两眼一闭,陷入了无边无际的黑暗……

只留下那淡淡的悲伤流转在空气中……

CHAPTER 03

来自敌人的救援

LAI ZI DI REN DE JIU YUAN

“来不及了，雷伊，你必须跟我合作才行！”他的语气越来越强硬，“否则兰布达星的大部分精灵都会葬身在此。”

第三章

“喂！快醒醒！”

“快醒醒！”

耳边的声音越来越响，雷伊终于吃力地睁开了眼睛，一眼就看到了前方银白色的墙壁。他起身看了看四周，三面墙壁，一面栏杆，这里显然是海盗的监狱。

他眨了眨眼，昏迷前发生的一幕幕再次在脑海中快进……

三个小赛尔和米咔只是普通的机器人和精灵，他们根本承受不住黑洞巨大的引力，只会被撕成碎片。

想到这一点，他的心情就无比沉重。

“砰！”

雷伊用力地捶了一下地面，艾里逊，他是绝对不会放过他的！

这时，那个陌生的声音再次响起：“你总算醒了。”

雷伊循声看去，牢门外的走廊上站着一个银白色的海盗杂兵，可是这个杂兵看起来有些奇怪，他脸部的小屏幕上显示的并非是像其他杂兵一样的电子眼，而是一个黑色的精灵，火红色的眼眸，冰冷的鳞片，还有背后有一条长长的好像蜥蜴一般的尾巴……

这个形象实在是太眼熟了……

这分明就是那个害死了多格雅的精灵！而刚才的声音正是这个精灵发出来的。

“是你！”雷伊大步走到牢门前，冰冷的目光如同利箭般朝对方射去，“没想到你居然跟宇宙海盗勾结在一起！你根本就是精灵中的败类！”

蜥尾精灵面色一沉，眼中闪过一道明显的怒意，道：“雷伊，说话客气点！你已经是阶下之囚，难道不知道什么是识时务者为俊杰吗?”

雷伊的表情没有一丝动摇，不屑地看着眼前的牢门，自信地说道：“你以为这个能挡住我吗?”说着，他双手向前一推，朝着前方栏杆劈出一道金色的光刃。

“咚！”

光刃重重地撞击上去，可是那银白色的栏杆还是屹立在那里，上面甚至没有留下一丝伤痕。

雷伊皱了一下眉，再度发出攻击，只见金色的光点急速地在他的正前方汇聚起来，越来越亮……

屏幕里的蜥尾精灵无奈地叹了口气，看着雷伊的眼神带了一丝怜悯，轻声说道："没用的。"他没有试图阻止雷伊，因为他知道没有尝试过，对方是不会死心的。

"闪光击！"雷伊大叫一声，那金色的光点就变成一道巨龙般的光波对着牢门张开了利齿。

"轰！"

那巨大的爆炸产生的余波让他们脚下的地板似乎都晃了晃，可是牢门还是坚固如初。它就像是一个永远也打不倒的巨人一般，让雷伊不由得心生出一种挫败感。

"嚓！"

这时，走廊的右边传来了开门的声音，跟着是机器人"嗒嗒"的脚步声。

"真是烦死了！有完没完啊！"另一个海盗杂兵出现在牢门外，没好气地嚷嚷着，"刚刚是谁没事老砸门？老子正睡得香呢，你们还让不让老子睡觉了……咦？7200 号，你怎么会在这里？"

7200 号海盗杂兵不知道什么时候恢复了正常的模样，蜥尾精灵从他脸部的屏幕消失。他若无其事地对刚进来的海盗杂兵说："我听说战神联盟的雷伊关在这里，就随便过来瞧瞧。"

"那你慢慢瞧，我先回去睡了，啊……"另一个海盗杂兵一边打哈欠，一边不耐烦地敲了敲牢门，“喂，我劝你别再闹了，我们这牢房可是用宇宙中最坚固的反质子材料打造的，就算是你的兄弟盖亚来了，也甭想从里面逃出来。好了，明白的话，就安分点！”说完，他就拖着沉重的步子“啪嗒啪嗒”地走了。

很快，又是“吱”的一声，监狱的大门似乎又关上了。

牢房里，雷伊的心情越发沉重了，盖亚是他的师弟，他当然知道盖亚的强大。如果说刚刚那个海盗杂兵说的是真的，那么他的境况就非常不妙了。

下一秒，蜥尾精灵出现在7200号的屏幕上，又给了他沉重的一击：“刚刚那个海盗杂兵说得没错，这个牢门是由反质子材料打造的，它也确实是宇宙中最坚硬的物质之一。”顿了顿后，他突然来了一个转折，“但是想要打开它也不是不可能。只有两个方法，第一个，就是用反质子材料的克星正质子光锯去锯开它；第二个办法就是从外面打开牢门。”

听到这里，雷伊表面上不动声色，心里不由得有一丝失望，显然他没有那个正质子光锯，所以唯一的希望就是第二个方法了。

“我可以帮助你。”蜥尾精灵平静地说道。

“你到底想玩什么花样？”雷伊一脸严肃地看着他，目光如炬，“先是把我抓起来，现在又要放了我，你以为我会感激你吗？”

“你难道还不明白吗？”蜥尾精灵略显失望地看着雷伊说，“我并没有和海盗勾结在一起，真正和海盗勾结在一起，还出卖了你和那三个赛尔机器人的精灵是斯科瑞。”

斯科瑞！

这三个字好像平地惊雷一般在这片寂静的空间内回荡。

监狱内一片沉静，好一会儿，都没有一点声音。

“不可能的！”雷伊猛地拔高嗓门，双手紧紧握成拳头。要不是前方还有牢门挡住他的去路，他恐怕已经冲过去和对方大战一场。“海盗是宇宙所有精灵的敌人，斯科瑞怎么可能跟海盗勾结在一起？没想到你敢做不敢当，现在还想冤枉斯科瑞！”

“我没有冤枉斯科瑞。”蜥尾精灵毫不示弱地与他对视，冷哼了一声，“你难道就没想过为什么我要追杀斯科瑞？为什么我之前无法跟你们沟通，现在却可以？”

雷伊被说得无言以对，眼神中闪过一丝动摇：难道他说的都是真的？

“你说吧。”雷伊深吸一口气道，“等你说完以后，我再来判断你的话是不是值得我相信。”

“好!”蜥尾精灵果断地同意了。他一点也不心虚的表现让雷伊心中的疑虑更深了。

蜥尾精灵深吸一口气,自我介绍道:“我叫洛奇斯,来自三千年前……”

三千年前?雷伊难以置信地微微瞠目。

大概知道他在想些什么。洛奇斯立刻纠正道:“不是你想的那样,我并没有穿越时空,我只是和我的族人在宇宙中流浪了三千年而已。”

他血红色的眼眸中一片阴暗,沉沉地开始叙述:“在遥远的宇宙的尽头有一个西格玛星系,那里最大的两个星球上分别居住着两个非常好战的精灵种族——托尔和巴德尔,千万年间大大小小交战了无数次,但双发势均力敌,便一直这么僵持着。三千年前,西格玛星系的第三次星系大战爆发了,两个精灵族之间的战争越来越频繁,也越来越浩大,到最后甚至把周围的小行星也牵扯了进来,整个星系战火不断。为了赢得这场战役,两族的精灵使尽了各种办法,形势几度变化,一直到托尔一族研制出了一种新型的基因精灵,也就是我和我的族人。”

故事说到这里，显然已经到了关键的地方，雷伊认真地听着。

洛奇斯继续说道：“基因精灵比普通的精灵要强大好几倍，体形更健壮，速度更快，攻击更猛，恢复更快……这种基因上的优势在战争中很快体现了出来，最后巴德尔一族彻底落败，托尔一族掌控了整个星系。正当我和我的族人沉浸在喜悦中的时候，没想到的是我们被抓了起来，并迅速被定罪为战犯。根据法庭的裁决，我们被关入睡眠舱，永远地流放在宇宙中……三千年，我们足足沉睡了三千年，也在宇宙中飘荡了三千年。”无数灰暗的色彩自他眼中飞快地闪过，显得如此沧桑、沉重，而又孤独。

如果他说的都是真的，那他和他的族人确实是很可怜。雷伊虽然同情洛奇斯他们，却无法原谅对方夺走了多格雅的生命，甚至连三个小赛尔都因此牺牲了……任何一个精灵都必须为自己所犯的错误付出代价。

洛奇斯似乎陷入了低落的情绪中，半低下头久久没有说话。

好一会儿，他抬起了头，看起来恢复了平静，接着说道：“我以为我们会永远地沉睡下去，可没想到的是我们的睡眠舱经历三千年的飘荡来到了兰布达星的附近，斯科瑞发现了我们，并把我们的睡眠舱带到了兰布达星。我们星球的科技非常先进，睡眠舱配备了精灵语言翻译器，斯科瑞根据翻译器阅读了刻在睡眠舱上的文字，然后打开其中一个睡眠舱，唤醒了我。在翻译器的帮助下，我和斯科瑞的沟通没有任何问题。我很感激斯科瑞释放了我，并请求他释放我的族人，可是斯科瑞却偷偷把我的族人藏了起来，他提出只要我把他变成强大的基因精灵，他就会释放我的族人……”

洛奇斯似乎想到了什么，血红的眼中闪过一抹飞快的杀意。

“我没有别的办法，只能同意了斯科瑞的提议，可是我们的研究进展缓慢，斯科瑞越来越急躁。为了安抚他，我帮他制造了一些东西，武器，飞行器，还有空间转移器，可是他并不满足，觉得我在蓄意放慢研究基因精灵的速度。一直到三天前，我突然发现明明我的研究还没有成果，但是斯科瑞却一下子强大了许多，他甚至一反常态地不再催促我。我知道其中有鬼，就暗中跟踪他，竟然让我发现他偷偷释放了我的一个族人，并抽取我族人的血液，改进他自己的基因。我的族人就这样活生生地被他抽干了血液。”说到这里，洛奇斯显得愤怒极了，狠狠地握住了右拳，一双眼睛更是要喷出火来，"既然我的配合只是换来我族人的牺牲，那我又何必再勉强自己。怒极之下，我不想再和斯科瑞虚与委蛇，决定抓住他问出其他族人的下落，可是斯科瑞不肯妥协，他认为一旦交出我的族人，他的安全就再也得不到保障。他一路逃亡，一直逃到你们那边。"他顿了顿，有些生硬地说，"关于你们的朋友，我也很抱歉。我并不想伤害他，可是那天斯科瑞关闭了翻译器，我根本无法跟你们沟通，我看你们都在维护他，以为你们跟他是一伙的。"

"你骗人！"一个略显耳熟的声音突然尖着嗓子打断了他，"你说得通通是假的。"

一个黄绿相间的鸟形精灵突然冲了过来，试图把7200号海盗杂兵撞倒，可是他实在太弱小了，在对方身上撞了一下，就被反弹回去，狼狈地摔在地上。

"无礼的精灵。"洛奇斯不屑地看着那个小精灵，操纵7200号一手抓住他的后颈，轻松地一把抓起，就像拎一个小宠物似的。

"放开我！放开我！"小精灵拼命地挣扎着，却完全挣脱不开。

雷伊难以置信地看着这个精灵，脱口而出："小多特？"

原来这个突然出现的小精灵竟然是兰布达星球的精灵多特。

“雷伊……雷伊，我终于找到你了。”多特一看到雷伊，惊喜非凡，“咦？三个小赛尔呢？”他看着空荡荡的牢房中只有雷伊一个精灵，不由得觉得很奇怪。

雷伊心下一沉，沉重地把他昏迷前发生的一切一五一十地告诉了多特。

“怎么会？”多特难以置信地倒吸一口气，“连小赛尔们都……”原本找到雷伊的喜悦在一瞬间消失殆尽，他心中产生一丝怀疑：雷伊被关起来了，三个小赛尔牺牲了，兰布达星的精灵还有可能获救吗？

“小多特，”雷伊定了定心神，急忙问道，“你怎么会在这里？”

这个问题好像利箭般一下子击碎了多特心中最后一点硬撑起来的坚强，他“哇”地号啕大哭起来：“雷伊，大家……大家都被抓走了，呜呜……”

“小多特，冷静点。”雷伊赶忙安抚他，“快告诉我，到底发生了什么？”

多特抽噎了两下，做了几个深呼吸，哽咽着说道：“雷伊，你和三个小赛尔离开半天后，宇宙海盗就带着大军来到了兰布达星，抓走了很多精灵……其他的多特和卡季斯都被海盗抓走了。我偷偷地躲在海盗的飞船下面想来救大家……”

“等等!”一直冷静的洛奇斯突然面色一变,“你是说宇宙海盗已经从兰布达星回来了?”

多特被他吓了一跳,本能地点了点头。

洛奇斯的面色一黑,原本的冷静全然消失,急切地说道:“来不及了,雷伊,你必须跟我合作才行!”他的语气越来越强硬,“否则兰布达星的大部分精灵都会葬身在此。”

气氛一瞬间降至冰点,空气仿佛都凝滞了。

QUANTUM HEROES

QUANTUM HEROES
CHAPTER 04
探秘海盗基地
TAN MI HAI DAO JI DI
雷伊当然看出多特的成长，眼中闪过一抹欣慰的笑意。
两个精灵和一个机器人沿着走廊往监狱的大门口走去。

第四章

一阵短暂而沉重的沉默后，多特忍不住大叫道："洛奇斯，你终于露出你的真面目了！哼，就算你威胁我们，我们也不会帮助你这个坏精灵的！"

看着他怒气冲冲的样子，洛奇斯反而笑了，镇定地说道："你们会帮我的。你们以为斯科瑞的计划只是把你们关起来做奴隶吗？他和宇宙海盗还有更大的野心正要实施。"

"你这话是什么意思？"雷伊眉头一皱，心里有种不祥的预感。

"在你们离开兰布达星以后，斯科瑞就用我给他制造的空间转移器把自己也传送到了海盗基地，然后就和海盗达成了协议。他把整个兰布达星的精灵和我的族人一起卖给海盗。"顿了顿后，洛奇斯继续道，"宇宙海盗之所以前往兰布达星不仅仅是为了抓走那里的精灵，更重要的是要把我的族人带到这里来。"

雷伊和多特的脸色越来越难看，虽然他们都想大声否认，可是回想到之前海盗的陷阱，他们越来越觉得洛奇斯说的话可能是真的。一种被背叛的阴云将他们笼罩，压得他们几乎透不过气来。

雷伊想到了什么,表情微微一动。他之前一直以为是洛奇斯把空间转移器交给了艾里逊,现在终于明白了:艾里逊的空间转移器是斯科瑞给的……

多特的脸色顿时惨白如纸,喃喃地说着:"斯科瑞他为什么要这么做?"

"精灵就是一种贪婪的生物。"洛奇斯不屑地冷哼了一声。

"不,精灵不是这样的!"雷伊毫不犹豫地大声反驳道,眼神如磐石一般坚定,"洛奇斯,也许你遇到了一部分不好的精灵,但是你不能因为这样,就以偏概全。我所认识的大部分精灵都是善良、单纯、勇敢、乐于助人的!"

洛奇斯显然并不赞同,不耐烦地说道:"我不想跟你争论这个。现在你们必须得快点行动了,很快,不止是你们和我,兰布达星的精灵们和我的族人都会被……"

"等等!"雷伊突然眉头一动,听出了洛奇的言下之意,惊讶地打断了他的话,"洛奇斯,难不成连你也被海盗抓起来了?"

"否则我现在为什么要通过这个机器人跟你们沟通呢?"洛奇斯讽刺地反问了一句,继续讲述他来到海盗基地星之后的故事,"我之所以转移到这颗星球,主要是为了从宇宙海盗手里得到他们的精灵语言翻译器……”

“然后你就被海盗抓住了?”多特有些幸灾乐祸地插嘴道。

“凭那些破铜烂铁还想抓住我?”洛奇斯轻蔑地撇撇嘴,“海盗派了很多兵力在整个星球寻找我的踪迹,但他们的目的不是用武力抓住我,而是给我传达一个信息逼我投降——如果我不投降的话,他们每过一小时就会杀死我的一个族人。”说到气愤之处,他忍不住重重地捶墙。

背地里的阴谋让人防不胜防,而这种台面上的“阳谋”却让人无可奈何。除非洛奇斯可以罔顾族人的生死,否则他就只能自己走进这个海盗监狱。

洛奇斯很快平静下来,继续说道:“虽然我不得已向海盗投降,但是在那之前,我特意做了一些功课:我从海盗那里偷取了精灵语言翻译器,虽然这个翻译器并不包含我们星球的语言,但是经过我的改装,这一切都不是问题。之后我又抓住了一个海盗杂兵,修改了他的芯片,让他为我所用。可惜我被海盗关在了他们的A级监狱,外面的守卫非常森严,除了这个7200号,我还需要更多的力量。”

“所以你就打算放了我,让我去救你。”雷伊恍然大悟地说道。

“没错,而且你必须要帮助我!”洛奇斯强硬地说道,“海盗决定在这里进行基因精灵的实验，而试验品正是兰布达星的精灵。可是我们基因精灵的血液是有毒的,并不是所有的精灵都能适应我们的血液。在三千年前的实验中,十个精灵中有九个因为承受不住强大的能量结果爆体而亡。”

爆体而亡?雷伊难以置信地瞪大眼睛,多特也露出惊骇的表情。

短暂的沉默后,多特一脸怀疑地看着洛奇斯说:“雷伊,不能相信他,这很可能只是他的谎言,他只是想骗我们去救他而已!”

洛奇斯冷冷地看着他,说:“你们现在有两个选择,或者就是在这里坐以待毙，欺骗自己说兰布达星的精灵们都活得好好的;或者就是离开这里,去验证我的话到底是不是真的。”

事有缓急,雷伊很快有了决定,坚定地说:“开门吧。”

他的言下之意,显然是决定答应洛奇斯的要求。

多特难以置信地看着他，急急地说:“雷伊，你打算相信他?他根本不是什么好精灵,你别忘了是他害死了多格雅!”一想到多格雅消失的那一幕,多特就气愤得不能自制,恨不得冲上去把洛奇斯狠揍一番。

“多特，”雷伊温和而坚定地安抚着他，“无论洛奇斯到底是个什么样的精灵，有一句话，他没说错，我们不能在这里坐以待毙，只有离开这里，我们才能去救被抓走的精灵们，才有机会去验证他说的话到底是不是真的。”

多特沉默了，但洛奇斯笑了：“雷伊，我很高兴跟你这样聪明的精灵合作……”可是很快，他的笑容就消失了，急急地压低声音说道，“海盗来了，那些兰布达星的精灵也被送到了，基因实验马上要开始了，你们必须尽快……”

他话还没说完，7200号海盗杂兵的脸部屏幕突然变成黑乎乎的一片，然后“嗞啦”一声，黑色的电子眼出现在屏幕上。

通信突然中断，雷伊根本反应不过来。

“洛奇斯，洛奇斯……”

他急急地叫了两声，可是回应他的只有7200号海盗杂兵机械呆板的声音：“通信已中断，无法连接。”

雷伊的表情十分凝重，如果洛奇斯最后的话是真的，他们必须赶紧行动了。

“快打开牢门！”

“是！”7200号海盗杂兵一边应声，一边按下了墙上的控制按钮。只听“嚓”的一声，牢门开始自动往上升去。

雷伊从牢房里走了出来。他们心情复杂地看着近在咫尺的7200号海盗杂兵，虽然洛奇斯已经从屏幕上消失了，但多特还是看这个机器人很不顺眼，恨不得把这个洛奇斯的走狗打得落花流水。可是雷伊及时拉住了他，对着他摇了摇头，用眼神表示：现在最重要的不是解决私怨，拯救兰布达星的精灵们才是此刻最重要的事。

多特愤愤地瞪了7200号一眼，又一次想到了为保护自己而牺牲的多格雅。他也许可以为了一时快意，拒绝跟洛奇斯合作，可是结果只会导致更多的伙伴葬身于海盗的魔爪——那将成为他一生的梦魇。

如果是多格雅的话，现在会怎么做呢？

多特渐渐地冷静了下来，心里已经有了明确的答案。

一瞬间，他的眼神变得如此沉稳而坚定。虽然他的外表看来还是那么的弱小，但是他的心灵经过这些变故的淬炼，已经变得成熟强大起来。

他深吸一口气，说道："雷伊，我们走吧！"

雷伊当然看出多特的成长，眼中闪过一抹欣慰的笑意。

两个精灵和一个机器人沿着走廊往监狱的大门口走去。

前方一道银白色的大门将门后的的世界遮挡得严严实

实,他们不知道即将面对的会是什么。

多特紧张地看了雷伊一眼,用眼神表示着:我准备好了。

雷伊立刻朝门旁的绿色按钮按去,“嚓!”厚实坚硬的大门自动向上升高,下方的缝隙越来越大,越来越大,而门后的世界也一点点地展现了出来。

雷伊蓄势以待,做好了战斗的心理准备,可没想到的是,“ZZZ……”一阵熟睡时发出的鼾声自门缝传了过来。

雷伊和多特不由得愣了一下,这时,门下方的空隙已经有三十多厘米了,只要稍稍弯腰,就能看到两个海盗杂兵正坐在地上,背靠着门边的墙,睡得正熟,一副雷打不动的模样。

雷伊对着多特和 7200 号使了一个眼色,大家蹑手蹑脚地排成一列走了出来。

除了这两个睡着的海盗杂兵以外,监狱外面的这条走廊看起来空荡荡的。

这个海盗基地的守备也太不森严了。雷伊心里觉得奇怪,但再一想,又猜测海盗的主力部队也许都集中到实验室去了。

雷伊的表情越发严肃,低声对 7200 号催促道:“快带我们去实验室。”

“是!”7200 号应了一声后,就拐向右边的走廊,两个精灵紧跟在他身后。

在7200号的带领下，他们快步跑过一条又一条的通道，可是突然，雷伊停下了脚步说："有脚步声，我听到了海盗的脚步声。"他全神贯注地侧耳倾听，指了指右边说，"是从那边传来的。"

"一定是海盗来抓我们了！"多特急躁地说道，"我们一定是被洛奇斯给骗了！"说着，绿色的电光在他两边的翅膀闪现……

"等等，多特，海盗的人数不多，应该不是来抓我们的。"雷伊赶忙道。

"雷伊，我们该怎么办？"多特一脸无措地看着雷伊。

雷伊沉吟一下，很快做出决定："多特，这里是海盗基地，在我们了解清楚情况前，不宜打草惊蛇。一旦惊动了整个基地的海盗，不仅我们自己逃不走，更救不了大家！"说着，他指着旁边的一个房间说，"我们还是先到里面躲躲，等他们走了，再继续去实验室吧。"

两个精灵和7200号赶忙走进了那个房间。

大门很快关上，不远处"嗒嗒"的脚步声也越来越清晰。雷伊说得没错，海盗的数量确实不多，只有三四个的样子。

他们一边悠闲地往前走着，一边闲聊着。

第一个海盗崇拜地说道："艾里逊老大这回可是出风头了，不但抓到了雷伊，还从兰布达星抓回了这么多精灵，哈哈!"

一听到关于伙伴们的消息，多特激动得差点就要冲出去问个究竟，幸好雷伊及时拉住了他。

与此同时，海盗们还在毫无所觉地继续聊着。

"1029号，听说除了那些精灵，他们还运回来几个奇怪的棺材是不是?"第二个海盗好奇地问。

"哈，1030号，你也太没见识了，那不是棺材，是睡眠舱。"第三个海盗鄙视地说道。

"没错。"第一个海盗，也就是1029号附和道，"听说那个睡眠舱里有一种重要的实验材料，艾里逊老大要利用它们让普通的初级精灵也变得强大起来。一旦实验成功，迪恩老大一定会很高兴的。"

"哎，这么好的差事怎么就没让我赶上呢。"第二个海盗，也就是1030号有些失落地抱怨道，"这是多好的立功机会啊，没准老大一个高兴，就赏我一个小队长当当。"

海盗们说得越多，雷伊和多特的脸色越是凝重，仿佛有一块沉重的巨石压在了心口。

这时，海盗们的脚步声突然停了下来。雷伊立刻发现不妙,从声音传来的方位来判断,外面的海盗们分明就正好站在了门外。

糟糕!雷伊面色大变,想要躲起来,可是已经来不及了,他们跟前的大门已经“嚓”的一声,自动打开了。雷伊和多特就这样和门外的三个海盗杂兵直直地对视在一起。

“你们是谁?”

“竟然敢偷偷潜入海盗基地!”

“等等,你们有没有觉得这个精灵有点眼熟……”

“你们一说,好像是……”

海盗杂兵你一言我一语地说个不停，好不容易终于把雷伊认了出来,齐齐地指着他惊呼道:“雷伊!战神联盟的雷伊!”

跟着,1030 号海盗杂兵慌张地说道:“得告诉老大，雷伊逃出来……”

他的话还没机会说完,一道金色的影子已经蹿出,一脚踢在1030 号的腹中。1030 号发出 声短促的惨叫，就朝后方的走廊墙壁撞去。

“砰!”

一定很疼！旁边的两个海盗露出不忍的表情，考虑着是该冲上去大战一场，还是赶紧逃走去找后援比较好。

他们还没反应过来，却发现他们跟前又多了一个机器人，“7200……”

话没说完，就见一种白色的气体迎面而来，“嘶——”

糟糕！这个是……

虽然两个海盗一下子就认出了白色气体，却再也说不出话来。只听“咚咚”两声，他们直直地倒在了地上。

CHAPTER 05

背叛的斯科瑞

BEI PAN DE SI KE RUI

这也就是说，一旦这个可怕的实验进行下去，会有无数精灵因为承受不住基因精灵血液中的毒素爆体而亡！

第五章

这出乎意料的情况让雷伊和多特都愣了一下。

“7200号，你手里的这个是什么？”雷伊好奇地看着7200号手里的白色喷雾罐。

“机器人催眠气体。”7200号干脆地回答道，然后指了指身后的那个房间，“我在刚才的储藏室发现的。”

“机器人催眠气体？”多特惊呼道，两眼发亮。

这个意外的惊喜让多特喜出望外。他太弱小了，光凭他自身的力量非但帮不上雷伊，还会给雷伊拖后腿。有了机器人催眠气体，就算是弱小的他，也可以不怕海盗了。

在7200号的指点下，多特从储藏室的一个架子上取了一个白色的喷雾罐，上面用简笔画了一个闻到气体后晕倒的机器人，以及看不懂的奇怪文字——看来应该是海盗的文字。

他正要离开，却突然发现除了这白色的喷雾罐，还有一种紫色的喷雾罐。他好奇地拿起来一看，只见上面画着一个闻到气体后晕倒的精灵。

多特想到了什么，若有所思地来回看了看两种喷雾罐，心里有了主意。他一定可以帮多格雅报仇的!

“多特,快点,我们得立刻赶往实验室。”门外传来雷伊焦急的催促声。

是的,他们的时间已经不多了。他们必须在海盗的实验开始前,赶到实验室,否则后果不堪设想。

“我来了。”多特飞快地抓起喷雾罐,朝雷伊跑去。

有了机器人催眠气体的帮助,多特变得自信果敢多了,一路上,用手上的喷雾罐迷倒了不少海盗杂兵。

又拐过几个弯后,7200号指着前方说:“前面就是实验室了。”

太好了!雷伊和多特互看一眼,脚下跑得更快了。

突然前方传来的一阵尖锐的惨叫声:“啊!”

那声音听起来撕心裂肺,仿佛是在忍受着极大的痛苦。

难道基因实验已经开始了?雷伊越发着急,飞似的越过最前面的7200号,循声跑去。

多特和7200号紧跟其后,短短的一百米不到,此时却显得如此漫长。他们才跑了不到三分之一,就再次听到一声瘆人的惨叫:“啊!”

除了尖叫声,还隐隐约约地可以听到交谈声从前方传来。

“已经喂了这么多血了，到底管不管用啊？”一个粗鲁的声音不耐烦地说，“喂，我警告你，要是你让我忙活了半天，却没什么结果的话，小心……哼哼！”他威胁地冷哼了两声。

这个声音明显就是艾里逊。

雷伊顿时心下更急，但下一个声音更令他如坠冰窖。

“艾里逊大人，您放心，实验一定会成功的。我亲身体验过的。您再等等。”

谄媚的声音如此耳熟，分明就是斯科瑞。

不止是雷伊听了出来，多特也意识到了。之前，他们的心里一直抱着一丝期望，希望洛奇斯说的一切都是假的，希望能找到斯科瑞戳穿洛奇斯的谎言。可是眼前的事实却残酷地证明了他说的都是真的。

斯科瑞真的残杀了洛奇斯的族人！

斯科瑞真的和宇宙海盗勾结在了一起！

斯科瑞真的出卖了兰布达星的同胞们！

这也就是说，一旦这个可怕的实验进行下去，会有无数精灵因为承受不住基因精灵血液中的毒素爆体而亡！

雷伊和多特的眼前不由得浮现出那个可怕的场景，心脏仿佛被一只无形的手掐紧。坚强的雷伊没有因此而软弱，继续往前奔驰着；可是多特的心智却没有那么强大，浑身微微颤抖着，连脚步都不由得慢了下来，几乎不敢去直面这个真相。

这时，另一个熟悉的声音把多特从短暂的迷茫中惊醒："斯科瑞，你这个无耻的叛徒，快放了大家！你没看到他们这么痛苦吗？"

是卡季斯！多特一下子振作起精神，心里想道：现在还不晚！我一定要救出兰布达星的伙伴们才行！

雷伊和多特再次加快速度，往前奔驰，与此同时，前方实验室的交谈也还在继续着。

斯科瑞又道："卡季斯，你真是目光短浅，所以到现在还只是区区一个初级精灵。我不是在害他们，我是在帮他们。要是没有我，他们不知道要多久才能强大起来，可是有了我的帮助，他们很快就能成为像洛奇斯这样强大的精灵，甚至比雷伊还要强大。"

回应他的是那些精灵们更加凄惨的尖叫声："啊——"

卡季斯愤怒地说道："斯科瑞，虽然精灵们都想变得强大，但是用这样的方式，大家是不会接受的！你为了自己的私心，居然跟海盗勾结在一起，根本就是大错特错。斯科瑞，不要一错再错了……啊！"说着，他突然发出一声惨叫。

艾里逊气呼呼地说道:“居然当着我的面挑拨离间，当我是聋的啊!”

紧跟着,卡季斯再次发出惨叫:“啊!”

“住手!”雷伊终于抑制不住自己,发出一声怒斥。他用最快的速度冲到了实验室的门口。

那是一个巨大的实验室,至少有超过两百平方米。

里面放置着二三十张的钢床，每一张床上都躺着一个精灵。

一眼看去,场面是如此惊心动魄,让看者义愤填膺。

兰布达星上那些可爱善良的小精灵们变成了海盗的实验品。他们脸上曾经天真活泼的笑容,现在都消失了。现在的他们看起来都那么的痛苦,身体不断地挣扎着,皮肤的表面好像波浪般起伏着,仿佛下面蕴藏着极大的能量,仿佛有什么野兽叫嚣着要冲出来。

雷伊心疼的视线一点点地移过去，直到他看到洛奇斯的身形，只见他和一个长相跟他很相似的蓝黑色人形精灵一起被束缚在一张大大的平台上，两个精灵都被粗壮的钢索紧紧地束缚其上,一动也不能动。

两个金属针头分别刺进他们的上臂，紫色的血液通过细长的透明管子不断地淌出，然后流进两支透明的试管里。

这个景象等于再次证明了洛奇斯的话，斯科瑞想用洛奇斯族人的鲜血来获得强大的力量。

雷伊愤怒地朝那些始作俑者看了过去，双拳紧握，眼睛几乎要冒出火来。"艾里逊，我雷伊发誓，我是绝对不会放过你的！"为了兰布达星这些可怜的精灵们，更为了生死不明的赛小息他们……

斯科瑞、艾里逊和许多海盗杂兵分散着站立在精灵们的床边，显然都在观察实验体的症状。而卡季斯和更多的精灵们都被关在实验室角落的笼子里，显得非常狼狈。笼子旁还摆放着十来个黑色梭形小船舱，看来应该就是洛奇斯所说的睡眠舱。

卡季斯和其他被俘的精灵们一看到雷伊，都充满了惊喜，齐齐地大声叫道："雷伊！"

被束缚在平台上的洛奇斯也觉察到雷伊的到来，幽暗如深潭一般的眼中飞快地闪过一抹亮光。

相对于精灵们的喜形于色，艾里逊这边感受到的就只有惊吓了，谁都知道雷伊是宇宙中最强大的精灵之一。

艾里逊外强中干地指挥着周围的海盗杂兵们说:“快,还不都给我上!”

海盗杂兵们蜂拥而上,多特和7200号立刻举起白色的喷雾罐,严阵以待。

“机器人催眠气体!”一个眼尖的海盗杂兵突然指着喷雾罐叫了出来。闻言,其他的海盗杂兵急急地停住了脚步。

“机器人催眠气体有什么可怕的啊。”艾里逊不以为然,迅速地拿出了防护面具戴上,“哈哈,低等精灵,放马过来吧。我有防毒面具,你的机器人催眠气体对我来说是不管用的!”

他身后的海盗杂兵们也纷纷戴上了防毒面具,跟着哈哈大笑起来,一副嚣张的模样。

可是对于雷伊来说,他们有没有戴防毒面具根本就毫无差别,他化成一道金色的闪电朝他们冲去。

“啊!”就在这时,那些捆在钢床上的实验精灵突然发出更痛苦的尖叫,“啊——”

他们的叫声太过惊心,不由得吸引了所有的目光。只见他们的皮肤波动得更厉害了,起伏的速度越来越快,到最后竟像是气球一样膨胀开来,好像快要爆炸似的。

看着伙伴们遭受着如此巨大的痛苦,多特既心疼又愤怒,使尽所有的力气大叫着:“纳克,皮拉尔,巴尔,派诺……大家,坚持下去!”

“加油,罗亚!”

“噜卡,你要撑住啊!”

“克尼!”

“……”

关在笼子里的精灵们也纷纷地扯开嗓门为朋友们鼓劲,可是无论他们怎么呼唤,也帮不了他们最亲爱的朋友们。

那些实验精灵看起来越来越痛苦,挣扎,呻吟,尖叫,抽搐……突然,几个实验精灵的身上都发出刺眼的光芒,那些光芒越来越闪亮,好像一个个蚕茧似的把他们整个包裹住了。然后只听几声痛不欲生的尖叫,“嘭!嘭!”好几团光芒一个接一个地向外爆开,变成无数荧光向四周飘散。

雷伊难以置信地发现七八张钢床上都变得空荡荡的,原本躺在那里的精灵们已经消失了——他们承受不住体内那股不属于他们的强大力量,被分解成了无数的晶尘,彻底地消失在空气中。

多特瞪大眼睛,难以置信地看着这一幕。

这些是他们最亲爱的朋友,明明前一天,他们还这么快乐地在一起玩耍，可是眨眼之间，就这么消失在了这个宇宙中。

“啊！”多特悲痛地仰天长啸起来，那凄厉的声音在实验室内回荡着，久久不散……

CHAPTER 06

激战宇宙海盗

JI ZHAN YU ZHOU HAI DAO

雷伊还没反应过来是怎么回事，就发现脚下的地板突然裂开，出现一个黑乎乎的圆洞。除了正好在角落里的多特外，雷伊和洛奇斯他们一个没提防就都掉了进去。

第六章

沉痛的悲伤好像阴雨一般弥漫着，压得精灵们几乎喘不过气来。

大家都心疼极了，看着那些空荡荡的钢床，沉默不语。

在这一片悲伤的沉寂中，艾里逊不满地嚷嚷道："斯科瑞，这是怎么回事？你要是不给我一个交代，小心我让你跟这些低等精灵一样变成宇宙的尘埃哦！"

斯科瑞惶恐地来回看着那些钢床，嘴里喃喃地说着："不可能的！不可能的！我明明试过的……"

就在这时，只听"噗"的一声，又是一团光芒消失了，但这团光不是被炸开，而是好像被什么吸收了似的一下子消失了，但是床上的精灵却没有消失，而是静静地躺在那里。

"巴尔！"一个精灵惊讶地对着那张钢床叫了出来。

钢床上，初级精灵巴尔已经不再是原来的巴尔，而是一个陌生的精灵，他的体形更高大，四肢也更有力，天蓝色的皮肤变深，好像深海一样的颜色，浑身布满了金属般的鳞片，背后更是多了一条蜥蜴一般的尾巴。

他没有像其他的精灵那样被分解，反而是变异了，变异成为跟洛奇斯一样的基因精灵！

只是他看起来好像虚脱了，两眼紧闭，一动不动地躺在那里。

“巴尔怎么变成这样了？”好几个精灵难以置信地惊呼道。

斯科瑞松了口气，得意地对着艾里逊邀功道：“艾里逊大人，我说得没错吧。这些古老的基因精灵确实具有神奇的力量，只要吸取他们的血液，就能改变我们精灵的基因，获得跟他们一样强大的力量。”

斯科瑞完全无视了刚刚那些爆体而亡的精灵们，而艾里逊也完全不在乎那些失败品。

“干得好！”艾里逊满意地大笑，“哈哈，有了这些基因精灵，我们海盗的精灵就能变得更强大，迪恩老大一定会嘉奖我的。”

多特的脸色越来越难看，泪水盈满他的眼眶。斯科瑞的每一句话都像是在他心中打下重重的一拳。多特实在无法理解曾经善良的斯科瑞怎么会变成这样，他已经被欲望彻底蒙蔽了双眼。

“够了！”雷伊怒吼一声，像一声惊雷打破了这沉闷的气氛。

雷伊锐利的目光好像一把利剑似的刺向斯科瑞:“斯科瑞,我再给你一次机会。如果你肯改邪归正,大家都会原谅你的。”

“斯科瑞,你别再错下去了!”多特激动地大喊道。

斯科瑞根本不为所动,用一种复杂的眼神看着雷伊:“雷伊,像你这种强大的精灵根本就无法理解我的心情。无论我再怎么努力地练习,练习,再练习,我都无法超越你,可是现在我终于找到办法了,有了这些基因精灵,我可以变得比你还要强大!”

“斯科瑞,”雷伊失望地摇了摇头,“为了追求力量,你出卖伙伴,你已经无可救药了。”

“跟他还有什么话好说的。”一个冰冷的声音突然从左边传来。

斯科瑞顿时脸色大变,惊恐地看了过去。只见一个黑色的人形精灵正大步朝他走来,背后的尾巴甩动着,正是洛奇斯。他的身后跟着他的一个族人和7200号,原来是7200号在混乱中把他俩给释放了。

洛奇斯一边往这边走来,一边说道:“雷伊,把斯科瑞交给我。”他冷冰冰地看着斯科瑞,可怕的视线好像是眼镜蛇一般,看得斯科瑞不由得打了个寒战。最清楚洛奇斯实力的精灵就是斯科瑞了。

“不行!”多特抢在雷伊前面大声说道,“斯科瑞是我们兰布达星的叛徒,必须交给我们。”

雷伊虽然没有说什么，但是看他坚定地站在多特身边的姿态,显然已经表明了他的态度。

洛奇斯的眼中闪过一丝阴郁,双手紧紧地握成了拳头,明显是不太甘心。

而对于斯科瑞来说,无论是雷伊,还是洛奇斯,都不是他能应对的。他后退了好几步,试图躲到艾里逊的身后:“艾里逊老大,快把他们都抓起来啊!”

艾里逊气呼呼地踢了他一脚,粗暴地说道:“哼,你是什么玩意儿!竟敢命令我?”

斯科瑞狼狈地摔倒在地上,艾里逊满意地拍了拍手,对着周围的海盗杂兵下令道:“小的们,给我拿下洛奇斯!雷伊就交给我!”说着,他右手中已经多了一个蓝紫色的精灵胶囊,往前一掷。

“出来吧,尼斯克!”

胶囊在半空中转动了几下,就对半裂开,在一道淡蓝色的

光芒中，一个水蓝色的海狮形精灵出现在他们的面前。

“尼斯克，给我上！水流喷射！”艾里逊立刻对着他的精灵尼斯克发出了指令。

“尼斯克！”尼斯克应了一声，立刻聚集起四周的水元素，把它们凝结成一个水蓝色的光球停在额头前。他用力地一甩头，一股巨大的水流就像水龙一样朝雷伊喷射了出去。

面对张牙舞爪的水龙，雷伊毫不畏惧，勇往直前。

“念力射线！”他大叫一声，发出一道金色的光波，“嗖”地射出，与尼斯克的水龙碰撞在一起。

从表面看来，尼斯克的水龙如此粗壮，雷伊的光波如此单薄，就像一棵粗壮的大树和一根瘦弱的竹子撞击在一起，悬殊如此明显。可是结果却不然，金色的光波就像是一支锐气逼人的利箭一般将水龙从中对半剖开，以势如破竹之势朝尼斯克射去。

尼斯克虽然力图反抗，但他的力量和雷伊相比，就像一个七八岁的孩子遇上了成年人一样，怎么挣扎都是于事无补。

尼斯克惨叫着向后飞去，最后重重地撞击在后方的墙壁上，在上面留下了一个深深的凹痕。

与此同时，一群海盗杂兵同时朝洛奇斯围攻过去，可是洛奇斯却是一动不动地站在原地，好像傻掉了似的。

眼看着杂兵们的拳头就要打到洛奇斯了，却突然看见眼前黑影一闪，洛奇斯不见了。

奇怪?杂兵们愣了一下，急急地寻找洛奇斯的下落，很快在其中一个杂兵的背后看到了洛奇斯。

其他的杂兵正想提醒，但是洛奇斯不给他们机会。他们连一个字都没来得及说出，那个杂兵的背部已经中了一拳，只见他惨叫一声，四肢大张地在玻璃窗上撞出一个大洞，然后飞得没影了。

然后洛奇斯又神奇地消失了，就像是一道见了光的影子般消失得无影无踪……直到杂兵们发现他不知何时又出现在另一个杂兵的身后。

“啊!”那个杂兵也是背部中拳，连反应的机会都没有，就被打飞。

下一秒，洛奇斯又不见了。

而这时，杂兵们已经如同惊弓之鸟，惶恐地看向各个方向，唯恐下一个目标就是自己。

“你们这些没用的蠢材!”艾里逊气急败坏地大叫起来，“还不背靠背地围起来!”

艾里逊的这个主意确实是很妙，一旦杂兵们背靠背地围成一个圈，那么洛奇斯就没办法再像刚才那样出现在他们的背后了。无论洛奇斯出现在哪个方向，他都别想逃过杂兵们的视线。

杂兵们立刻听命行动起来，整齐而迅速地围在一起，一眨也不敢眨地看着四周。

“哼，没用的！”洛奇斯在空中发出不屑的冷哼声。他的身体缩成一团，用力地往下一踩，下方的一个海盗杂兵就半陷进地板中，差点没被压成一张铁饼。

其他的海盗杂兵们立刻缩小圈子，堵上了缺口，同时安排一个杂兵站在圆心，时刻注意上方的动静。

“呵！”洛奇斯冷笑了一声，仿佛在嘲笑他们似的。笑声还没消散，他就出现在某个杂兵的面前，重重地踢出一脚。接下来，他似乎已经厌倦了这些把戏，不再给敌人机会重组阵型，一拳又一拳地打出，每一次都是直击敌人的正面。

他的态度仿佛在无声地表示着：就算看到我也没用，我比你更快！

他确实是很快，快到当他移动起来，没有一双眼睛能追上他的速度，当你看到他的时候，就是你被打倒的时候。

很快,海盗杂兵们已经倒了一地,就像是一堆破铜烂铁似的。

斯科瑞发现情况不妙,偷偷地开始往后退,试图从玻璃窗上的洞口逃走,可是多特和7200号早就察觉了他的意图,拦住了他的去路。

“艾里逊老大……”斯科瑞还想求救,可是艾里逊已经自身难保,雷伊正一步步地向他逼近。

更可怕的是,刚刚解决掉最后一个杂兵的洛奇斯也开始逼向艾里逊。

“停!”艾里逊突然大叫起来。

雷伊不由得愣了一下,想看他要玩什么花样。

没想到的是艾里逊突然跪了下来,卑躬屈膝地说道:“我投降!我投降!”

雷伊傻眼了,没想到这个海盗头子居然如此没有尊严。连洛奇斯都既惊讶又不屑地看着艾里逊。

对于他们鄙视的目光,艾里逊仿佛毫无所觉,继续说道:“雷伊大人,洛奇斯大人,我再次真诚地向你们表达我的敬意。其实我不想跟你们为敌的,都是这个精灵,”他愤愤地指了指斯科瑞,“一切都是他挑唆的!”

这时，谁也没注意到他的另一只手不知从哪里掏出了一个遥控器，然后对着上面的按钮用力地往下一按。

“哈哈……”艾里逊得意地笑了出来。

雷伊还没反应过来是怎么回事，就发现脚下的地板突然裂开，出现一个黑乎乎的圆洞。除了正好在角落里的多特外，雷伊和洛奇斯他们一个没提防就都掉了进去。

“哈哈，再见喽！”艾里逊一边大笑不止，一边反应很快地按下了遥控器上的另一个按钮，洞口瞬间又关上了。

“雷伊！”多特紧张地大叫，可是这一切发生得实在太突然，他只能眼睁睁地看着雷伊消失在他眼前。

“艾里逊，你实在是太卑鄙了！”多特愤怒地瞪着艾里逊，眼睛几乎要喷出火来。

可是艾里逊根本就不在乎这点指责，无所谓地摊摊手说：“卑鄙有什么关系，胜者为王，败者为寇。我们海盗玩的就是卑鄙，哇哈哈！”

“你！”多特气得一时语塞。他知道再和艾里逊说下去也没用，还不如打败他，救出伙伴们。他凝神聚气，绿色的电光开始在他周围闪烁起来……

“凭你这种低等精灵也想打败我？”艾里逊轻蔑地看着他，

正想好好教训他一番，脚下突然传来一阵巨响。

“咚！”

整个房间都微微摇晃了一下，震得艾里逊一屁股摔倒在地上。

“这是怎么回事?地震了吗?”艾里逊摸着屁股从地上爬了起来，还没反应过来，又是“咚”的一声巨响，整个房间又震动了一下。

斯科瑞第一个察觉到问题的源头，视线停留在刚刚雷伊和洛奇斯消失的地方，只见那里的地板上已经出现蛛网一般的裂纹，不知道还能承受几次重击。

斯科瑞面色大变地指着那里叫了出来：“艾里逊大人，他们马上要出来了，怎么办?”

艾里逊先是吓得差点跳起来，但很快想到了主意，故作镇定地说：“有本老大在此，慌什么！”说着，他不知道又从哪里拿出了一个遥控器，对着上面复杂的键盘按了好几下。

斯科瑞一脸期盼地问道：“艾里逊大人，这是什么新型武器吗?”

艾里逊还没回答，多特已经紧张地拍着翅膀，发出了两道光刃。

“斯科瑞，干掉他！”艾里逊没好气地下令。

“是，艾里逊大人。”斯科瑞一边应声，一边已经挥出重重的左拳，然后是右拳，“震山拳！”棕色的巨大拳影一前一后地飞出，轻易地就把多特发出的光刃吞噬，并继续朝他呼啸而来。

“砰！”

“咚！”

地上的撞击和地下的撞击重叠在一起：地上，多特好像断了线的风筝一样被打飞；而地下，那猛烈的攻击已经把地板打出了一个小洞，无数的碎片因为强大的冲力往上飞来。

看样子，显然这地板已经承受不住下一次撞击了。

“艾里逊大人……”斯科瑞紧张地看着艾里逊，却见玻璃窗外，一个小型宇宙飞船正朝他们飞来，眨眼间，就降落在外面。

艾里逊指着角落里的一个睡眠舱说：“带上一个，跟我走！”说完，他率先从窗口的破洞跳了出去。

“是！”斯科瑞赶紧抱起一个睡眠舱跟了过去。

QUANTUM HEROES
CHAPTER 07
宇宙混战
YU ZHOU HUN ZHAN
眼看双方的差距不到两百米，艾里逊终于破罐子破摔地停下飞船，然后掉转方向瞄准了雷伊和洛奇斯。他当然不是要投降，而是主动发起了攻击。

第七章

“砰！”

几乎是下一秒，地板被轰然炸出一个大洞，然后一金一黑两道身影从地下飞蹿而出，正是雷伊和洛奇斯。

紧跟着，7200号和洛奇斯的那个族人也从地板下爬了出来，姿态有些狼狈。

可是实验室里已经看不到艾里逊和斯科瑞的踪迹了。

雷伊和洛奇斯朝四周看了半圈，先是看到了倒在地上一动不动的多特。

“多特！”雷伊急急地冲到他身边，半扶起他。

“多特！”

“多特……”

笼子里的精灵们也担忧地看着他，不断地叫着他的名字。

在伙伴们的呼唤下，多特终于艰难地睁开了眼睛，虚弱地抬起一边的翅膀，指着艾里逊他们逃走的方向说：“雷伊，他，他们……”

雷伊顺着他指的方向一看，看到一艘紫色的小飞船喷出一道白色的尾气飞向了碧蓝的天空。

洛奇斯的那个族人指着小飞船急急地说道:“族长，那个海盗带走了一个睡眠舱!”

洛奇斯顿时面色大变，他当然知道这意味着自己的一个族人被海盗挟持了。他想也不想地穿过窗上的洞口,飞向了天空。

雷伊赶忙朝四周看了一圈,意识到斯科瑞也不见了,急急地也追着洛奇斯而去,只丢下一句:“多特,你好好休息,我去追斯科瑞。”

多特根本来不及反应，雷伊和洛奇斯已经变成了天空中的两个黑点,眨眼间就彻底消失了。

雷伊和洛奇斯使尽全力地朝前方的小飞船追去，越飞越快,很快就穿过大气层进入了宇宙之中。

而前方的海盗小飞船显然也意识到后方有追兵，每每在距离拉近之时又拉大双方之间的差距。

但是雷伊和洛奇斯都不是会轻易放弃的精灵，锲而不舍地跟在后面。

前面的逃,后面的追,这个局面僵持了很久都没有打破,一直到前方出现了变化。

一大片密集的陨石群突然出现在前方,在这片地带,显然是体形越小就越灵活,因此在进入陨石带后,海盗小飞船的劣势一下子就显现了出来。

就算艾里逊操纵飞船的技术再出众,也改变不了现状——后方的雷伊和洛奇斯正越追越近,越追越近。

眼看双方的差距不到两百米,艾里逊终于破罐子破摔地停下飞船,然后掉转方向瞄准了雷伊和洛奇斯。他当然不是要投降,而是主动发起了攻击。

小飞船的左右激光炮同时发射出两道红色的激光,分别朝着两个精灵射来。

洛奇斯发挥他速度上的优势,飞快地往上一跳,就轻巧地避过了这一击。从他足下穿过的红色激光继续笔直地往前,一直射在后方的某一块陨石上。

“轰!”

强力的撞击下,花火四溅,那块陨石也四分五裂,化成了宇宙的尘埃。

而雷伊根本懒得躲闪,干脆就聚集能量,发出一道紫色的射线,和海盗的激光炮直接撞击在一起。

“轰!”

两者的激烈碰撞造成了更大的爆炸，好像烟花般美丽炫目，却带着强大的杀伤力，把周围的陨石也炸飞了一块。

这时，海盗小飞船的下一波攻击已经袭来，又是两束强劲的激光炮射线，在漆黑的宇宙中画下两条笔直的红线。

洛奇斯一边灵活地继续躲闪着，一边飞快地朝小飞船靠近。

雷伊干脆帮他做掩护。他开始凝聚起更多的能量，金色的光点密集地出现在他的四周，最后朝他的额心聚拢，如此耀眼，如此炫目。

“极电飞鸟！”他大叫一声，那如恒星一般闪亮的光球就爆裂开来，分散成无数道金色的光镖，如同一片暴雨般朝前轰炸过去。

“砰！”“砰！”

又是几声剧烈的爆炸，不仅阻挡住了海盗的攻击，也炸掉了更多的陨石，甚至连海盗小飞船都受到爆炸余波的影响，向后翻滚了好几圈。

“咚！”“咚！”

暂时失去平衡的小飞船一连撞上好几块陨石，在表面留下了不少凹痕。

趁着这个大好机会，洛奇斯已经飞到了海盗小飞船前，然后用他强健的双臂举起了至少比他大了十倍的小飞船，并用力地摇晃着小飞船，上下，左右，反复了不知道多少次，可以想象飞船里的艾里逊和斯科瑞肯定是被摇得晕头转向。小飞船虽然还在垂死挣扎地发射出一道又一道的激光射线，但根本没有任何准头，只是又炸掉了一块陨石。

虽然对自己没有造成任何损伤，但洛奇斯显然被激怒了，举着小飞船使劲地砸向一块巨大的陨石。

“咚！”

小飞船被撞凹了一大块，而舱门也随着震动被砸开了，“扑通扑通”地掉下三样东西，正是艾里逊，斯科瑞，和一个黑色的睡眠舱。

“哎哟！”斯科瑞猛地一头撞在一块坚硬的陨石上，头一歪，暂时失去了意识。

而艾里逊的运气比他好一点，狼狈地在太空中翻滚了几圈，抱住一块陨石稳住了身体。

洛奇斯看了看睡眠舱中完好无损的族人，终于露出了一丝微笑，然后威胁的目光朝艾里逊和斯科瑞看了过去。

“大人，饶了小的一命吧。”艾里逊立刻没原则地求饶，指着不远处的斯科瑞说道,“这一切都是那个精灵怂恿我的!”

昏迷过去的斯科瑞完全无法替自己辩驳，轻飘飘地飘荡在太空中。

雷伊厌恶地看着眼前这个毫无原则毫无骨气的海盗,金色的光点急速地在他拳上凝聚。他用力地双臂往前一推,一个巨大的金色光球好像导弹一般气势如虹地朝艾里逊冲去。

“砰!”

只听一声巨响,艾里逊避之不及地被打了个正着,完全没有还手之力。

“啊!”他惨叫着飞了出去,很快就“咚”地撞在后方的一块陨石上,然后又因为反作用力撞到另一块陨石上,然后“咚”的一声继续反弹着……只听那“咚咚”的碰撞声不断,他渐渐地消失在了陨石群中。

宇宙海盗被打败了。

雷伊和洛奇斯带着那个睡眠舱和昏迷的斯科瑞又回到了海盗基地星的实验室。

这时，所有被缚的精灵们和洛奇斯的族人们都已经被第一个族人和 7200 号释放了。多特看起来也恢复了不少。

看到雷伊平安归来,精灵们总算松了口气,七嘴八舌地围了过去。

“雷伊,你没事,真是太好了!”

“雷伊,这次多亏了你。”

“雷伊,谢谢你!”

“……”

在这片欢声笑语中,斯科瑞悠悠醒转。他当然意识到自己现在的境况非常不妙,试图趁着大家的注意力没放在自己身上,偷偷溜走。但他才移动了两步,就发现一道身影挡在了他跟前。

“还想逃!”熟悉的声音从头顶传来,冰冷强势。

斯科瑞一下子就认出了这个声音,浑身发抖地朝发出声音的洛奇斯看去。

洛奇斯的眼神一片阴沉,仿佛正酝酿着一场可怕的暴风雨似的,杀气十足。

斯科瑞心里害怕极了,想要换个方向逃走,可是这时其他精灵的注意力也被吸引了过来,从各个方向挡住了他的去路。在这天罗地网之下,他根本无处可逃。

想到这一天发生的一切,所有的精灵们都用仇恨的眼神看着斯科瑞,每一个都恨不得冲上去为那些死去的精灵们报仇。

斯科瑞朝四周看了一圈，每一个精灵都对他充满了厌弃。

这么下去，他的下场可以想象。斯科瑞艰难地吞咽了一下口水，垂死挣扎般地试图挽回败局："大……大家听我说，我是不得已的……"

"斯科瑞，事到如今，你当大家是傻子吗？"洛奇斯冷冷地打断了他。

斯科瑞不由得打了个寒战，急急地朝雷伊看去，辩解道："雷伊，你不能相信他！你根本不知道他是什么样的精灵，更不知道他和他的族人为什么会被流放。他们非常可怕，曾经……"

"够了！"这一次，多特不耐烦地打断了斯科瑞，"洛奇斯已经告诉了我们真相，斯科瑞，你就别想再挑拨了。"

"怎么可能？"斯科瑞愣了一下，难以置信地看着他曾经的朋友们，"不可能的，你们一定是被他骗了，听我说他们基因精灵都是嗜血的战士，在三千年前的大战中，他们曾经杀害了无数的……啊！"

斯科瑞的胸前突然被洛奇斯射出的光波击中，惨叫着向后飞去，并重重地撞上后方的墙壁。

"你想干什么？"雷伊没想到洛奇斯会突然出手偷袭，脸色大变地朝斯科瑞飞去，可是洛奇斯的三个族人站成一排，飞快

地挡在了他的前面。

“他该死!”洛奇斯好像饿狼一般又盯了斯科瑞好一会儿,才缓缓地看向了雷伊,面无表情地说,“雷伊,那么多的精灵因为他而死去,还有你的那几个机器人朋友,你难道忘记了吗?”

雷伊的眼前不由得浮现出那悲伤的一幕幕,赛小息他们在银光中消失得无影无踪;精灵们被困在钢床上痛苦地哀号,最后被分解成无数的晶尘……

他的心狠狠地一抽,眼神暗淡。

雷伊只是一个短暂的分神,就给了洛奇斯机会。他身体的四周开始亮起白色的光芒,强大的能量在他的周围聚集起来……他身旁的其他七个基因精灵同样也开始蓄势待发,发出各色的光芒,越来越闪亮,一个个就好像是夜空中的耀眼的星辰。

糟糕!雷伊意识到不妙,他想要阻止,可是洛奇斯的三个族人拦住了他。虽然他有信心打败他们,可是时间明显不够了。他只能眼睁睁地看着洛奇斯和他的七个族人发出八道粗壮的光波。

“嗖!”

八道光波猛烈地撞击在斯科瑞的身上。

“轰!”

八比一，结局根本没有任何悬念，基因精灵们发出的光波一下子就把斯科瑞淹没，而斯科瑞连惨叫也来不及发出，就这样被这压倒性的力量彻底撕裂了……

洛奇斯的反击

LUO QI SI DE FAN JI

糟糕！雷伊正要出声，可是已经迟了，实验室的天花板突然伸出好几根管子，从里面喷出白色的气体，一下子就弥漫了整个实验室。

第八章

斯科瑞就这样消失了。

可是兰布达星的精灵们并不觉得高兴，都愣愣地看着他消失的地方。

就算斯科瑞做出了无法饶恕的错事，但他毕竟曾经是他们的朋友,有着无数共同的回忆。

雷伊叹了口气,锐利的目光朝洛奇斯看了过去,说道:“洛奇斯,斯科瑞已经为他的错误付出了代价,那你呢?你要为你的错误付出什么样的代价?”

精灵们齐齐地朝洛奇斯看了过去,眼神之中充满了谴责。他们都记得是洛奇斯残忍地杀害了无辜的多格雅。

洛奇斯沉默地看着雷伊，面无表情，红色的眼睛深沉难解。

“任何一个精灵一旦杀害了无辜的精灵,他都必须受到惩罚。不止是斯科瑞,还有你!”雷伊义正词严地说道,“洛奇斯,你必须跟我们去兰布达星,接受大家的审判。”

“对于多格雅的死,我很抱歉,但这一切都是斯科瑞造成的。”洛奇斯慢慢地说道。

“洛奇斯，斯科瑞难辞其责，但是……”雷伊皱紧眉头，试图与洛奇斯理论，可就在这时，多特突然走了过来。

“雷伊，我觉得洛奇斯说得没错，这一切都是斯科瑞的错。”多特走到洛奇斯的身边，义正词严地说道。

“多特！”卡季斯难以置信地看着多特，没想到他会站在洛奇斯那边。卡季斯那双愤怒的眼睛仿佛在说：多特，你难道忘了多格雅是为了谁才牺牲的吗？

“多特，谢谢你的支持。”洛奇斯微笑着说道。就在这时，多特突然拿出一个紫色的喷雾罐，对着洛奇斯喷出一阵白色的气体。

洛奇斯反应不及，吸入了不少气体。他的身体微微摇晃了一下，虚弱地跪倒在地。

“你！”他愤怒地看着多特，凶狠的眼神恨不得要将他撕碎。

多特有些快意地笑了，摇了摇手上的紫色喷雾罐说：“这是精灵催眠气体，洛奇斯，你还是乖乖地跟我们回兰布达星接受审判吧。”

他这么一说，周围的精灵们终于明白了，原来多特是故意装作支持洛奇斯,目的是为了将他制伏。

精灵们都为多特的计策赞叹不已，唯有雷伊很快意识到不对,因为周围洛奇斯的族人们对此毫无反应。

糟糕!雷伊正要出声,可是已经迟了,实验室的天花板突然伸出好几根管子,从里面喷出白色的气体,一下子就弥漫了整个实验室。

精灵们或多或少地吸入这些气体，很快都软软地倒了下来,其中也包括雷伊。

在这一片白茫茫的气体中,洛奇斯的族人们都屹然而立,明明他们的脸上没有戴任何的防毒面具。

“哈哈!”洛奇斯大笑着站起身来,得意又带着几分不屑地对多特说,“愚蠢的低等精灵,你以为我没发现你的计划吗?居然想对我使用精灵催眠气体?很可惜,我们基因精灵跟你们这些普通精灵是不一样的，这精灵催眠气体对我们根本就不管用!哈哈……”

在他嚣张的笑声中,更多的精灵不甘心地倒下了,唯有雷伊还苦苦支撑着,不愿意被精灵催眠气体打倒。

“洛奇斯大人,”不知何时离开实验室的7200号“嗒嗒”地跑了进来,得意地汇报道,“任务已经圆满完成!”

“做得很好！”洛奇斯满意地说道。

原来是7200号偷偷到主控制室通过通风管释放了精灵催眠气体。

雷伊后悔自己的大意才导致了这样的结局，可是现在无论怎么自怨自艾，也来不及了。

“洛奇斯，你想怎么样？”雷伊吃力地问道，睡意不断地向他袭来，他觉得眼皮越来越重，身体的力量在不断地流失着。

“放心，雷伊，我是不会杀你的。”洛奇斯故作神秘地说道，眼中充满了恶意，“我有更好的办法来惩罚你。”

“……”雷伊的双脚一软，无力地躺在了地板上，连说话的力气都快没有了。

“洛特斯！”洛奇斯对着旁边的某个族人招了招手，那个族人立即搬来了一个睡眠舱。

雷伊一下子察觉到他的意图，目光锐利如剑。

洛奇斯故作无奈地叹了口气：“雷伊，这都是你自找的，要不是你坚持要跟我作对，我也不想这么对你的。”

在他说话的同时，他的两个族人已经把雷伊搬进了睡眠舱。

洛奇斯继续说道：“雷伊，我想对于你来说，这是比死亡更严厉的惩罚吧。我会把你流放到宇宙的边缘，你说，你会沉睡多久呢?是像我们一样的三千年，还是更久?不知道三千年后，你想守护的兰布达星是否还存在，你亲爱的朋友们是否还活着呢?”

雷伊的眼神像利剑一般射了过去，他很想跟洛奇斯奋战，可是根本就使不上力气，金色的光点若隐若无地闪现，甚至无法凝聚成一个光球。

见状，洛奇斯轻蔑地笑了:“雷伊，宇宙中最强的精灵，也不过如此。”

“洛奇斯!”雷伊用最后的力气艰难地说道，“你会……受到惩罚的!”

“你!”洛奇斯先是大怒，很快又哈哈大笑起来，“雷伊，你与其担心我，还是担心你自己吧!希望你此生还有机会醒来，哈哈哈……”他大笑着高举右臂，然后狠狠地往下一压，示意族人们关上睡眠舱。

不!雷伊不甘心地瞪大眼睛，试图大叫，却根本发不出声音，更无法阻止这一切，只能眼睁睁地看着睡眠舱的盖子缓缓地在他眼前一点点地关闭，视线越来越狭隘，最后连一道细缝也看不到了。

好冷!又好困!

他觉得一种冷到骨子里的寒意和强烈的睡意好像一座大山般将他彻底压倒。

他艰难地闭上了眼睛,心里充满了绝望,无声地呐喊着:再见,我一直守护着的宇宙!再见,我最亲爱的朋友们!

无边无际的黑暗一瞬间将他整个笼罩,再也没有一丝光明和热量。

CHAPTER 09

盖亚的救援

GAI YA DE JIU YUAN

这时，盖亚突然挡在了雷伊的面前，干脆而果断地说道：“雷伊，时间紧急，这个精灵就交给我。你赶紧去救大家吧。”

第九章

当雷伊再次醒来的时候，他发现自己正躺在一个陌生的地方。

这是一个荒芜的星球，四周都是光秃秃的石头和干巴巴的土壤。一眼看去，没有一点生命力，更没有一个精灵。

这是哪儿?他又怎么会在这里?

雷伊艰难地从打开的睡眠舱里爬了出来，因为体力还没恢复，踉跄了一下，跌倒在地。

在他跌倒的一瞬间，昏迷前的记忆好像电影般一幕幕地在他脑海里播放。他的脸色越来越沉重，心头的疑团越来越大。

是谁把他放出了睡眠舱?他又沉睡了多久?一百年，一千年，还是更久?

兰布达星的精灵们又怎么样了?

他们是不是都已经……

一种未知的恐惧好像是魔鬼占据了他的心灵，突然雷伊的视线停顿在睡眠舱上，只见上面手掌大小的电子屏上显示着几个数字：

48:10:11

最后两位数字还在不断跳动着，12，13，14……

雷伊愣了一下，很快意识到这几个数字代表着时间。

也就是说自己才昏睡了48个小时？

这个领悟让雷伊精神为之一振，一股发自内心的动力刹那间流转全身。

太好了！他还可以去挽回自己的失误。

他一定要打败洛奇斯，拯救兰布达星的精灵们。

雷伊暗暗对自己发誓。他正要纵身起飞，突然看到一道白蓝色的影子正飞快地朝这边移动，对方的速度太快了，让他的眼睛几乎捕捉不到他的动作。

这种速度让他第一时间想到了洛奇斯。难道对方知道自己脱身了，所以追来了？

雷伊停留在了原地，身体微微压低，做好了战斗的准备。

那道影子在离他不到五十米的地方停了下来，他这才看清楚了。

这是一个蓝白相间的人形精灵，雪白的脸庞，藏青色的身体，一双红色的眼睛，像红宝石那样美丽，眼神却如千年寒冰

般的冰冷，浑身散发着一种孤傲的气质。

“你终于醒了。”

“盖亚！”

两个精灵同时说道，声音正好交叠在一起。

两个默契十足的精灵愣了一下后，都笑了出来。

“盖亚，原来是你救了我。”雷伊终于放松下来，“太好了，你收到了我的求救信号？我就知道你一定会来的！”

“那当然。”盖亚理所当然地拍了拍雷伊的肩膀，很义气地说道，“好兄弟，你有难，我就是赴汤蹈火也会赶来的。”

没错，雷伊在睡眠舱关闭之前用最后的力量给盖亚发出了求救信号，只是当时他太虚弱了，发出的信号非常微弱，宇宙如此广阔，他根本无法保证盖亚是不是能收到这个信号。

雷伊也拍了拍盖亚的肩膀：“好兄弟，不言谢。”

“那是当然。”盖亚豪气地应道，跟着语气一转，追问道，“雷伊，到底发生了什么？你怎么会被关在那个睡眠舱里？你知不知道当我发现你的时候情况非常危险，当时这个睡眠舱被放在一块巨大的陨石上，而那块陨石差点就撞上这个小行星，幸好我及时把睡眠舱搬到这里，又改变了陨石的轨迹。要是再晚一个小时，后果不堪设想。”

雷伊的面色随着盖亚的叙述变得凝重起来，他说道："盖亚，我需要你的帮助。事情非常紧急，至于其中的细节我们还是路上再说吧。"

盖亚是个急性子，迫不及待地点头应道："那还等什么?我们赶紧走吧。"

"盖亚，我们必须立刻赶往兰布达星附近的海盗基地星。"

雷伊和盖亚立刻纵身往上飞去，只看到一金一白两道身影齐头并进，好像两颗最明亮最璀璨的流星，急速地划过幽暗的宇宙。

一路上，雷伊一面赶路，一面把事情的来龙去脉原原本本地告诉了盖亚，从斯科瑞被洛奇斯追杀，到三个小赛尔如何牺牲，再到自己是怎么被关进那个睡眠舱。

三个小赛尔也是盖亚的朋友，他们的牺牲让盖亚既愤怒又难过。

在这种情绪下，两个精灵越飞越快，一刻不停地高速飞行了几个小时，恨不得立刻就能飞到海盗基地星。

可是他们的计划却在他们飞过兰布达星附近的时候，发生了预料外的变化——两个精灵同时收到了来自兰布达星精灵的求救信号。

难道说洛奇斯和他的族人们现在就在兰布达星?

雷伊和盖亚互看一眼,在彼此的眼神里看到了相同的意思。

他们的默契极好,只是一个眼神交换,就明白了对方的想法,同时掉转方向冲向了兰布达星。

这时,兰布达星已经在几万公里外,可以清晰地看到,这个星球在两圈金色的行星环的环绕下,看起来是如此美丽。

雷伊心急如焚,二话不说,猛地加速,冲向了兰布达星的大气层。

盖亚紧跟着也加速,如影随形地跟在他的身后。

两个精灵好像两枚炮弹一般快速地穿过大气层,然后向下方冲去,在重力加速度的影响下,越冲越快。

他们离地面越来越近,可是雷伊的脸色却越来越沉重。

兰布达星已经完全不是他离开时的模样了,曾经的美丽富饶已不复存在,留下的是一片狼藉:树木被砍伐,花儿被蹂躏,河水不复清澈,连曾经最美丽的海洋也浑浊不堪。

雷伊稳稳地降落在一块凹凸不平的草地上,双拳因为愤怒握得紧紧的。他试图找几个精灵了解一下情况,可是周围空荡荡的,精灵们似乎都消失了。

这里好像变成了一个废弃的星球。

“雷伊，雷伊……”

突然，一个小小的黄色身影奋力地朝这边跑来，激动地喊着雷伊的名字。

雷伊赶忙看了过去，眼中露出一丝惊喜：“维克？”

那是一个圆滚滚的精灵，尖尖的耳朵小巧可爱，额头上有个大大的红圆圈，看着非常可爱。

小精灵维克气喘吁吁地滚到了雷伊的面前，语无伦次地说道：“雷伊，你没事真是太好了，他们都说你……不过我就知道你一定会没事的。咦？”他的注意力全集中在雷伊身上，这才注意到盖亚的存在，有些紧张地缩了缩脖子，“雷伊，那是……”

“维克，你别怕。”雷伊赶忙介绍道，“这是盖亚，他是来帮助我们的。”

盖亚的大名就像雷伊一样，为整个宇宙的精灵所知。

维克顿时两眼放光，激动地说道：“太好了，有了雷伊和盖亚，大家有救了！”说着，他急急地上前一步，恳求道，“雷伊，盖亚，请你们一定要救救大家！”

雷伊低头看着他，急忙问道：“维克，这里到底发生了什么事？怎么会变成这样？”

维克一鼓作气地说道：“雷伊，你离开后发生了很多事。先是宇宙海盗来了，抓走了很多精灵；然后昨天那个害死多格雅的坏精灵洛奇斯突然带着几个手下来到了兰布达星。他们说，你已经死了，以后他们基因精灵就是兰布达星的统治者。他们还说以后所有的低等精灵都是奴隶精灵，只有强大的精灵才能变成贵族精灵享受低级精灵的供奉，所有不守规矩的精灵都要受到惩罚。很多精灵都试图反抗他们，但是最后都被抓走了。那个洛奇斯还说，他要烧死所有违抗他的精灵，以儆效尤，让整个星系的精灵都知道不听从他的命令，就是这个下场。”

盖亚眉头一皱，插嘴问道：“洛奇斯把大家都带到哪里去了？”

“海盗基地星。”维克急急地回答，“洛奇斯他们已经占领了海盗基地星，把那里定为他们新王国的第一首都。洛奇斯说，他要在黎明的第一道光线亮起时，烧死所有反抗的精灵。雷伊，你要赶紧救救大家啊！”

“放心吧。我和盖亚一定会把大家都救回来的。”说着，雷伊朝盖亚看去，坚定地说道，“我们出发吧！”

“嗯！”

两个精灵才刚抵达，又像离弦的箭一样，飞快地离开了兰布达星，再次进入茫茫的宇宙中。

快点！再快点！

他们仿佛不知疲倦一般，越飞越快。

类日恒星的光芒从他们身后射向了前方海盗基地所在的小行星。

按照角度来看，只要再过不到半个小时，黎明的第一道光线就会进入海盗基地。

雷伊心中也越发焦急，可是他越急，就越是会有意外发生。

就在他们离海盗基地不过千米之远的时候，一个熟悉的精灵甩着粗壮的尾巴出现在他们前方，拦住了他们的去路。

这个精灵竟然是洛奇斯！

雷伊一看到洛奇斯，双眼就一片赤红，目光好像两道锐利的刀锋一般，大声道："洛奇斯！"

而洛奇斯则有些意外地看着他，漫不经心地说道："基地的雷达系统探测到有不明物体朝这里靠近，我还以为是谁。没想到是你，雷伊！你的运气还真不错，居然这么快就从睡眠舱里出来了。"说着，他不屑地冷笑一声，"只可惜，你来了也没用，你是救不了他们的。"他右臂一挥，一道白光自他手中射出。

"你想干什么？"雷伊面色一变，试图阻止，但已经来不及了,那团白光飞出数十米后,猛然爆炸开来,就像一团灿烂的烟花。

这显然是一个信号弹。

洛奇斯得意地勾起嘴角:“火刑架已经被点燃,雷伊你还能做什么呢?”

仿佛在响应他似的,他后方的海盗基地星上闪起了赤红色的火光,顷刻间,体积就膨胀了一倍……

明明距离如此遥远,但雷伊的耳边仿佛响起了精灵们凄厉而痛苦的叫声。

“洛奇斯,你实在是太残忍了!”雷伊怒斥道。

洛奇斯满不在乎地说道:“雷伊,你实在是太心软了。像这样的低级精灵,就算是杀掉一千一万又如何?他们如此弱小,是否存在根本就对宇宙没有一丝影响。弱小的精灵就该乖乖屈从于强大的精灵,像这些弱小又不听话的,这才是他们应得的下场。”

“洛奇斯,我跟你无话可说。”雷伊坚定地说道,身上已经开始闪现金色的电光,“快让开,否则我就对你不客气了!”

这一战显然在所难免。雷伊当然不是畏惧战斗的精灵,他毫无畏惧地与洛奇斯对视。

“这一次,你是不可能战胜我的!”洛奇斯自信地宣布道,“上次,我的力量还没有完全恢复,斯科瑞又吸食了我的部分血液,当时我的实力不到全盛期的三分之二。可是这一次,你将见识到百分之一百的我。”

这时,盖亚突然挡在了雷伊的面前,干脆而果断地说道:“雷伊,时间紧急,这个精灵就交给我。你赶紧去救大家吧。”

洛奇斯不屑地打量着盖亚,道:“凭你,也想拦下我?自不量力!”

“是不是自不量力,打一架不就知道了。”盖亚冷哼一声,双手在胸前交握,指间很快出现了银白色的光电,“嗞嗞”作响,好像是被充了气的气球似的,一下子就变成了一团足球大的光球。

以盖亚的实力对付洛奇斯,当然不成问题。雷伊放心地绕过洛奇斯,继续向前:“盖亚,这里就拜托你了。”

“别想逃!”洛奇斯一看雷伊想逃,气急败坏地想要追过去,可是盖亚一下子出现在他前方拦住了他的去路。

“你的对手是我!”盖亚大叫一声,双手向前一推,耀眼的光球就好像火箭炮似的向前横冲直撞,画出一条银白色的直线。

洛奇斯看这势如破竹之势,不敢再轻视,赶忙利用自己速度快的优势飞身避开。

银白色的光球越过洛奇斯继续往前冲去，最后撞在后方的海盗基地星上。

“轰!”

后方灰白色的大片烟雾已经显示出刚刚那一击的强大威力。

CHAPTER 10

最后的决战

ZUI HOU DE JUE ZHAN

一时间，五颜六色的光波好像美丽的流星雨一般朝着空中逆袭。也许他们单个的力量如同一根筷子般脆弱，但当他们的力量集合在一起时，就算只是筷子，也无法轻易被折断。

第十章

“你到底是谁?”

只是一招，洛奇斯就意识到眼前这个陌生而高傲的精灵非常强大,完全不弱于雷伊,不,应该说跟雷伊一样强大。

他们基因精灵信奉的就是力量，所以越强大的精灵就越能得到他们的尊重。

盖亚自信地与洛奇斯对视,傲然道:“我是盖亚。”

洛奇斯再也不去管雷伊,双眼紧紧地盯着盖亚,眼中是遇到对手的狂喜。“我一直以为我们基因精灵才是最强大的精灵,没想到宇宙中除了雷伊以外,还有你这么强大的精灵。”

盖亚根本就不想跟他客套，不以为然地说道:“如果你们是最强大的精灵,那为什么还会被关到睡眠舱里,在宇宙中流放了这么多年?”

洛奇斯像一下子想到了什么,脸色剧变,眼中更是射出仇恨的目光,大吼道:“你知道什么!我们是被暗算的!那些弱小的普通精灵最最无耻,害怕我们基因精灵的强大,就使阴谋诡计暗算我们!”他越说越是气愤,整张脸都扭曲了起来,“盖亚,我再问你一次，你是不是真的要与我们为敌?”

“废话少说!”盖亚毫不退缩地向洛奇斯挑衅道。

“既然如此……”洛奇斯双眼一眯，毫无预警地纵身向盖亚袭来。

他以为自己的速度快，可没想到的是盖亚也不比他慢，两个精灵就这样在宇宙中你来我往地交起手来。你一拳，我一脚；你一击，我一挡……不过是一眨眼的工夫，他们就交手了数十回，而且明显不分胜负。

“砰!”

两个精灵在一次激烈的碰撞后，分别向后飞去，好不容易才在没有落脚点的宇宙中稳住了身形。这时，他俩的表情已经非常严肃，紧紧地盯着对方的一举一动，唯恐一个小小的疏忽就会导致最终的失败。

洛奇斯知道光凭刚才的小打小闹，他是不可能打败盖亚的。他双拳紧握，开始凝神聚气地施展他的绝招。他的身上很快闪现白金色的光芒，迅速地往四周蔓延，变成一个大大的光球，而那光球还在越来越大，迅速地把四周所有的光芒都吸收过来，变成了他自身的力量……

但眼前的异象并没有让盖亚动摇半分。他的双手再一次在胸前交握，银白色的电光又一次在他指间出现，“嗞啦啦!嗞啦啦!”火花四射，很快就变成了一个足球大的闪电光球，并且还在继续变大。

“嗖!”

两边的攻击几乎同时释放出来，好像两艘轰炸机似的碰撞在一起。

“轰!”

两股强大的能量碰撞后产生了更巨大的能量波动，把周围所有的东西都炸得震离了原来的位置，连正在向海盗基地前进的雷伊都被那股冲击波的力量推动得速度更快了。

但就算是如此雷伊也没有停下，他相信盖亚的实力。

现在他最重要的事就是去拯救兰布达星的精灵们。

雷伊握紧双拳，坚定地继续向前冲去，如同一道金色的闪电。

下方的地面离他越来越近……他已经能清晰地看到，海盗基地前方的空地上，几百个精灵被捆绑着放在一个个火刑架上，而架子下方的柴火已经被点燃了，并且越烧越红。火苗疯狂肆意地往上蹿着，就像一头贪婪的凶兽，想把一切通通吞噬掉。

火刑架上的精灵们虽然暂时看起来还没有生命危险，但他们的处境非常不妙，一些软弱的小精灵已经嘤嘤地哭了起来。

但守在旁边的那些基因精灵们只是冷漠地看着他们，面无表情，无动于衷。

这一幕看得雷伊怒火中烧，恨不得冲过去狠狠地把他们教训一番。

“嗞啦啦！”

他聚集起体内的能量，一边继续向下俯冲，一边发出一道金色的光波，如同一道利剑将暗沉的天空划劈成两半，朝地面上熊熊燃烧的火焰射去。

可是那些基因精灵又怎么会让他轻易如愿，其中一个深灰色的基因精灵立刻朝着天空发射出一道灰色的光波，两道光波在距离地面二三十米的地方撞击在一起。

“轰！”

雷伊的力量很快压过了他的对手，金色的光波距离地面越来越近……

这一幕让下方正在水深火热中的精灵们从绝望中看到了希望之光，纷纷仰头大叫起来：

“快看，是雷伊！”

“雷伊来了!”

“雷伊,我就知道你一定会来救我们的!”

“雷伊,快打败这些基因精灵!”

“……”

眼看形势对己方不妙，立刻又有两个基因精灵加入了战斗。他们分别也向上射出两道光波,四道光波对撞在一起,轰然炸开,形成一朵巨大的蘑菇云。

雷伊并不气馁,紧接着射出了一道又一道强劲的光波,可是在三个基因精灵的合作下，雷伊的进攻一次又一次地被化解了。

这时,雷伊终于降落在地面上,大步走向挡在他前方的十个基因精灵,厉声道:“快放了大家!否则我就不客气了!”

那些基因精灵根本不以为意，其中一个蓝黑色的基因精灵——洛特斯上前一步,冷冷地道:“别说大话了,想救他们,先打赢我们再说!”

火刑架上的精灵们都紧张极了，一边忍受着烈火炙烤的痛苦,一边眼睛一眨也不眨地盯着雷伊这边的情况。

几个小精灵难受得号啕大哭:“妈妈,好热!”“妈妈,好难受!”

小精灵们的母亲也很想把他们抱在怀里，安慰他们，抚摸他们，可是她们却动弹不得。他们一个个都被捆得好像木乃伊似的，除了彼此紧紧地挨在一起，尽量避开外围的火苗，其他的根本什么也做不了。

现在大家唯一的希望就是雷伊了。

雷伊当然也知道这一点。眼看着越蹿越高的火苗就像是野兽一般对着精灵们伸出了魔爪，他感同身受地皱紧了眉头。

不能再拖延了，他必须速战速决！

雷伊毅然地深吸一口气，调动起体内所有的能量，金色的光点以前所未有的速度集中在他体表，而且越来越浓密，就像是一团金色的火焰将他通身包裹在其中。

“瞬雷天闪！”他声嘶力竭地吼道，金色的能量化成一道金色的巨龙呼啸着向前冲去，“嗞吧嗞吧”，强烈的金色电流在巨龙表面不安分地跳跃着，仿佛毒蛇一般随时会张开它长着剧毒的獠牙嘴。

这一击跟之前的招数完全不可比。洛特斯赶忙对着身边的基因精灵们使了个眼色，这一次他们五个同时出击，双臂在胸前交叉，发射出各色的光波同雷伊的金色巨龙厮咬在一起。

“嗞嗞！”

仿佛是触电似的，它们交集之处发出响亮的噪音，可是也不过是几秒钟，金色的巨龙就把五道光波彻底吞噬，然后如同坦克般继续向前横冲直撞，无论是气势还是速度，都没有受到一点影响。

糟糕！基因精灵们的脸色越来越难看，立刻又有两个帮手自动加入。

“嗖！”又是两道光波朝金色的巨龙破空而去。

七比一！

基因精灵们本来信心满满，可是下一秒就发现他们的防线被彻底攻破，那条可怕的金色巨龙已经猛然提速，一下子撞了过来。

“轰！”

七个基因精灵被炸得被迫往后退去，在地上留下了十四排深深的足印。他们那难以置信的目光，仿佛在无声地说着：这怎么可能？

雷伊根本没心思乘胜追击，赶忙朝火刑架上的精灵们跑去：“大家别急，我来救你们！”

可是他才腾空而起，那些基因精灵们又挡在了他的前方。

这一次，十个基因精灵都过来了，还排成了一条笔直的直线，最前面的洛特斯冷冷地说道："别想走，还没完呢！"

话语间，每一个后面的基因精灵都把双臂举起，双掌贴在前面那个精灵的背上，而最前面的洛特斯将双手合成花萼状，一个由各色光点组成的小球出现在他两手的掌心之间，好像是被充了气的气球似的一下子就从乒乓球的大小变得比足球还大，而且还在继续变大……

雷伊一下子明白了，他们是把十个精灵的力量集中到一个精灵身上一起发射出来。那力量可想而知。

雷伊的表情越发凝重了，身体紧绷得仿佛一道拉紧的弓一般，开始凝聚起十二成的力量。这一击将是关键的一击。

几乎同时，雷伊的金色巨龙和基因精灵们的五彩光球脱手而出，好像两个最凶猛的野兽一般在半空中厮咬在一起，你来我往，谁也不肯认输。

雷伊苦苦支撑着，不断地往前补充着能量，支撑着这场对局。

而对面的十个基因精灵也不轻松，一个个满头大汗，狠狠地咬着牙齿，仿佛想把体内所有的力量都一丝不留地释放出来。

这一击就这么胶着在那里，两边的形势虽然偶有波动，但谁也无法把另一方给彻底压制下去。

火刑架上的精灵们都越来越绝望了，周围的火焰越来越旺。虽然大家尽量把弱小的精灵围在中心，强大的精灵守在外圈，可就算是如此，最外圈的精灵已经出现了烧伤的症状，再这么下去，他们很快就要倒下了，而那些脆弱的小精灵们也明显快支撑不下去了。

就算是这样，也没有一个精灵继续求救。他们知道现在的情况对于雷伊来说太危险了。只要一点点的分神，雷伊就有可能万劫不复。

还有谁能救他们呢？精灵们齐齐地朝天空望去，希望天空中能奇迹般地降下大雨，只要能灭掉大火，那么他们就能得救了。

可是此刻的天空万里无云，根本就不可能发生这样的奇迹。

就在这时，一个眼尖的小精灵突然指着天空中某个黑点说："那是什么？"

大家都顺着他指的方向看去，发现那个黑点正急速朝这边靠近。

是谁？难道是洛奇斯？

这是精灵们的第一感觉，可是很快他们就发现在那个黑点之后还有一个黑点，同样在高速地往地面靠近着。

如果其中一个是洛奇斯的话，那就代表着另外一个有可能是雷伊的帮手。

精灵们期待地看着，连那灼热的感觉仿佛都没那么难受了。

天空中这两个急速赶来的精灵当然就是盖亚和洛奇斯。

盖亚发现下方的大火久久没有熄灭，便试图甩掉洛奇斯，前来地面救援，可是洛奇斯怎么肯让他破坏自己的计划，一直在后方紧追不舍。

两个精灵的速度太接近了，彼此之间的距离既无法拉近，也无法拉长。可是当盖亚试图发出一道光波灭火时，这一个短短的停顿，就给了后方的洛奇斯可乘之机。弹指间，他已经追到了盖亚的身后，长长的尾巴顺势甩出。

“盖亚，你以为你能摆脱我吗？”洛奇斯发出得意的笑声。

盖亚只好收住了即将发出的能量，侧身躲过这一击。

下方的精灵们都听到了盖亚这个名字，眼中再次燃起了希望的火苗。

可是那点火苗很快又被掐灭了。

半空中的盖亚和洛奇斯不断地交手，一道道的拳影一闪而逝，而他们的速度也越来越快，到最后连他们的身影都看不清楚了。

很显然，这两个精灵势均力敌，盖亚一时间根本不能分身来帮助他们。

精灵们看了看在地面上苦苦支撑着的雷伊，又看了看半空中专心对敌的盖亚，心像是被浇了一桶冷水似的，绝望而无力。

这一刻，他们都不再期待奇迹。

他们注定毁灭于这场烈火之中。

精灵们都软软地瘫坐下来，两眼空洞，仿佛没有灵魂的玩偶一般。

就在这片死气沉沉的气氛中，一个黄绿相间的小精灵突然奋力地挤了出来。全身被捆得紧紧的他好像僵尸一样，蹦跳着朝前方的火苗冲去。

这自寻死路的行为看得其他的精灵们目瞪口呆，一个精灵试图拦住他："多特，你想干什么?你疯了吗?"

多特一边继续往火苗里凑，一边坚定地说道："我没有疯。我们不能一直等着别的精灵来救我们，我们必须想出办法救自己。”

“可是我们能做什么……”

这个精灵的话说了一半，就卡在喉咙里。他难以置信地看着多特把自己的背部凑向了火苗，然后他的大耳朵被点着，燃烧起来了。多特赶忙倒在架子上打了个滚，总算灭掉了火，但接下来，他又继续朝火苗跳去。

一个精灵终于看明白了，惊呼道：“多特，你是想烧掉身上的绳子？”

这时，多特又不小心把自己点着了。他赶忙又打了个滚，灭掉了火，然后站起来，满意地看着身后被烧掉了一点点的绳子，大声地说道：“没错！”说着，他带着身上一块又一块的伤疤，继续尝试着。

一次又一次，多特仿佛飞蛾扑火的行为感动了周围的精灵们。几个精灵在他烧起来时，用自己的身体压过去，帮他扑火；还有几个勇敢的精灵干脆也学着多特这样做起来。

“多特说得没错，我们必须自救。”

“与其被大火烧死，我们至少应该尝试一下。”

“大家一起来帮忙。”

“……”

就在这时,上方突然传来凄惨而凌乱的尖叫声:

“啊!”

“下面的精灵快让开啊!”

“啊!我要摔成肉饼了!”

“米咔!”

精灵们好奇地循声往上看去，竟发现在火刑架正上方不过四五米高的半空中不知何时多了一橙一粉一绿三道身影,而他们正接受重力的召唤,狼狈地往下掉。

“砰!砰!砰!”

几声重响后,那三道身影在火刑架上撞成一团,而那橙色的身影竟然还摔成了两半，其中一小半狼狈地滚到了多特的脚边,可怜兮兮地叫着:“米咔!”

原来竟是橙色的小精灵米咔。

多特看着这一幕傻眼了，结结巴巴地叫道:“赛……赛小息,阿铁打,卡璐璐,你,你们……”

原来这突然摔落在火刑架上的身影竟然是大家认为已经牺牲的三个小赛尔。

赛小息摸着后脑狼狈地爬了起来,跟大家打招呼:“多特,卡季斯……咦,好热啊!”他这才发现四周熊熊燃烧的火焰,惊

慌地大叫道，“着火了！着火了！”

“怕什么？有我呢！”卡璐璐自信地拍了拍胸膛。说话的同时，头顶的包包头自动打开，伸出一根拿着灭火器的铁手臂。

“嗞——”

灭火器对着火苗喷射出白色的泡沫，眨眼间，就把火苗给扑灭了。

赛小息和阿铁打赶忙帮助精灵们松绑，这场危机总算是化解了。

“你们，”多特难以置信地打量着三个小赛尔，“你们真的没事？可是你们不是被艾里逊……”

“哈哈，”赛小息笑眯眯地拿出一个“手表”说，“放心，我们不是鬼。艾里逊那个笨蛋没注意到空间转移器的能量不足，所以没能把我们传送到黑洞。我们好不容易给空间转移器充好了能量，就立刻赶来了。”

“嘿嘿，看来我们来得正是时候。”阿铁打挥着斩月双刀冲了出去，“可恶的基因精灵，我宇宙战士来了！”

三个小赛尔和米咔的突然出现当然没瞒过不远处的雷伊和那十个基因精灵。

小赛尔们的出现让基因精灵们烦躁不已，却让原本几乎力竭的雷伊精神一振，体内仿佛又充满了无穷的力量。

雷伊猛地一用力，那条金色的巨龙就张开血盆大口，将那五彩的光波彻底撕裂，然后猛地朝基因精灵们撞去。

“啊！”

基因精灵们好像多米诺骨牌似的，一连串地倒了下去。

雷伊虽然胜利了，但也已经气喘吁吁，体内所剩下的能量不多了。

基因精灵们还不肯服输，挣扎着试图从地上爬起来。而这时，三个小赛尔和那些脱险的精灵们已经围了过来，团团地把他们围住。

“雷伊，把他们交给我们吧。”

“没错！我们也可以战斗的。”

“……”

精灵们此起彼伏地说道。他们自信果敢的眼神在雷伊的心中注入一股暖流。

“该死的低等精灵，你们给我去死吧！”原本正和盖亚战斗的洛奇斯突然掉转方向，朝下方的精灵们俯冲过来，速度快如子弹，同时发出一道巨大的红色光波，气势如虹。

也许那之前，兰布达星的精灵们还畏惧基因精灵的强大，但是经过这一次的磨难后,他们知道也许在个体上,他们没那么强大,但他们有坚忍不拔的意志力可以弥补。只要他们不放弃,只要他们团结在一起,就算是再强大的精灵,他们也无所畏惧。

他们站在一起,毫不退缩地对着半空中的洛奇斯发动了回击。

一时间,五颜六色的光波好像美丽的流星雨一般朝着空中逆袭。也许他们单个的力量如同一根筷子般脆弱,但当他们的力量集合在一起时,就算只是筷子,也无法轻易被折断。

洛奇斯难以置信地看着眼前的这一幕,他完全没想到这些弱小的精灵居然合力挡下了这一击。

而这时,盖亚的致命一击也到了。

"气合斩!"

那强大的银白色光波就像是拳击手最致命的一拳狠狠地击中了洛奇斯的背部。

"啊!"他惨叫着,瞪得老大的眼睛仿佛在质疑着:

我怎么可能会输?

The End 尾声

在大家的团结合作下，兰布达星的精灵们终于赢得了这场艰难的胜利。

接下来,便是对基因精灵们的审判,精灵们的意见五花八门:

“把他们关起来吧!”

“那也太便宜他们了吧?”

“杀死他们!杀死他们!”

“没错,为牺牲的精灵们报仇!”

“……”

经过大半天的商议，他们最终决定把这些基因精灵继续关到睡眠舱里。

对此，戴着手铐的洛奇斯满不在乎地笑了，阴恻恻地说道:“雷伊,终有一天我会再次归来的。”

他身后的基因精灵们也是一样的表情,没有一丝忏悔。

洛奇斯毫不留恋地躺入睡眠舱中,脸上带着笃定的笑容,仿佛在说:一定会有精灵再次打开睡眠舱的。

“洛奇斯!”被激怒的多特猛地冲上前去,却被雷伊拉住。

雷伊对着他摇了摇头,多特深吸一口气,冷静下来。

雷伊大步走到洛奇斯的睡眠舱前,沉着而果断地宣布道:“洛奇斯,这一次不会再有精灵放你出来了。我们会把你们的睡眠舱沉入兰布达星最深的大海中，并把这次发生的事刻在睡眠舱上,让以后的精灵们引以为戒。”

“你!”洛奇斯愤怒的眼睛几乎喷出火来,不甘心地试图奋力而起,可是他已经什么也做不了了,只能眼睁睁地看着睡眠舱的盖子毫不留情地再次合上。

“砰!砰!”

在那单调的碰撞声中，基因精灵们再次闭上了他们的眼睛,安详的睡颜使他们变得仿佛是普通的精灵一样,掩盖了他们内心深处的狂暴。

睡眠舱一个个地被沉入大海,最后消失在海平面上,好像什么也没发生过,却在精灵们心中留下了惨痛的回忆和教训。

雷伊朗声对所有的精灵说道:“兰布达星的精灵们,请记住这次的教训。虽然强大的力量是每个精灵所追求的终极目标,但是要靠自己的努力去获得,想要不劳而获,只会为自己和朋友带来可怕的灾难!也许你们今天还不够强大,但是请相信大家的力量,只要我们团结在一起,就没有敌人可以打败我们!”

他的声音回荡在空气中,久久不散,每一个精灵都露出若有所思的表情。

没错,只要他们团结在一起,就没有敌人可以打败他们!

赛尔号
战神联盟
QUANTUM HEROES
●关键词：正义+勇气+力量+守护
浩瀚的宇宙中存在着阴谋与危机，
勇敢的战神联盟啊，
赌上你们的勇气与生命，
向着成为宇宙保护神的目标前进吧!!!
重磅推出
唯一"战神联盟"小说，赛尔迷不能错过！
第4册 诅咒星球
第3册 黑暗希望
第2册 毁灭之歌
第1册 沙丘魔海
赛尔号战神联盟1-4册
火热销售中!!!

赛尔号战神联盟5–8册
火热销售中!!!
第5册 吞噬星辰
第7册 极度进化
第6册 噩梦侵蚀
第8册 末日星球
赛尔号战神联盟9–12册
火热销售中!!!
第9册 太阳末日
第11册 漂流时空
第10册 遥远星际
第12册 致命病毒
妈妈放心,孩子欢喜
Taomee淘米 官方授权读物
丰厚的赠品倾情奉送!!!
赛尔迷必备珍藏!!!

⑬寄生前夜

STORY

哈维星是一颗平静而美丽的星球，可就在不久以前，却陆续有小精灵神秘失踪。在帮助寻找这些失踪精灵的时候，卡修斯遇到了一个名叫米拉德的精灵，他自称是由于母星毁灭，带着米拉杰们流亡到此的。

失踪的小精灵们原来全在米拉德的家里做客，并且在米拉德的帮助下，成功进化了！唯有卡修斯觉得事态可疑，他试图阻止小精灵们寻求进化的捷径，却遭到了他们的敌对和攻击！

而渐渐地，卡修斯发现那些突然进化的小精灵们，竟然全都遭到了寄生，米拉德想要利用这种方法，成为哈维星独一无二的王者！

⑭基因实验

STORY

三千年前，西格玛星上居住着两个非常好战的精灵种族——托尔和巴德尔，千万年间大大小小交战了无数次，为了赢得这场战役，托尔一族研究出了一种新型的基因精灵，但是在战争结束后，他们却被当作牺牲品，处以流放之刑。

一个偶然的机会，他们被其他精灵发现了，但宇宙海盗却试图利用这种基因技术进行实验，制造出宇宙中最厉害的精灵。于是，宇宙海盗在兰布达星上到处抓捕小精灵，进行基因实验，导致大量的小精灵在痛苦中死亡。

无意中来到兰布达星上的雷伊得知了这一情况，带领小精灵们进攻海盗基地，然而以他为首的星球联盟却遭到了欺骗和背叛，并被设计关进了睡眠舱，流放到宇宙中，并可能永远也醒不过来……

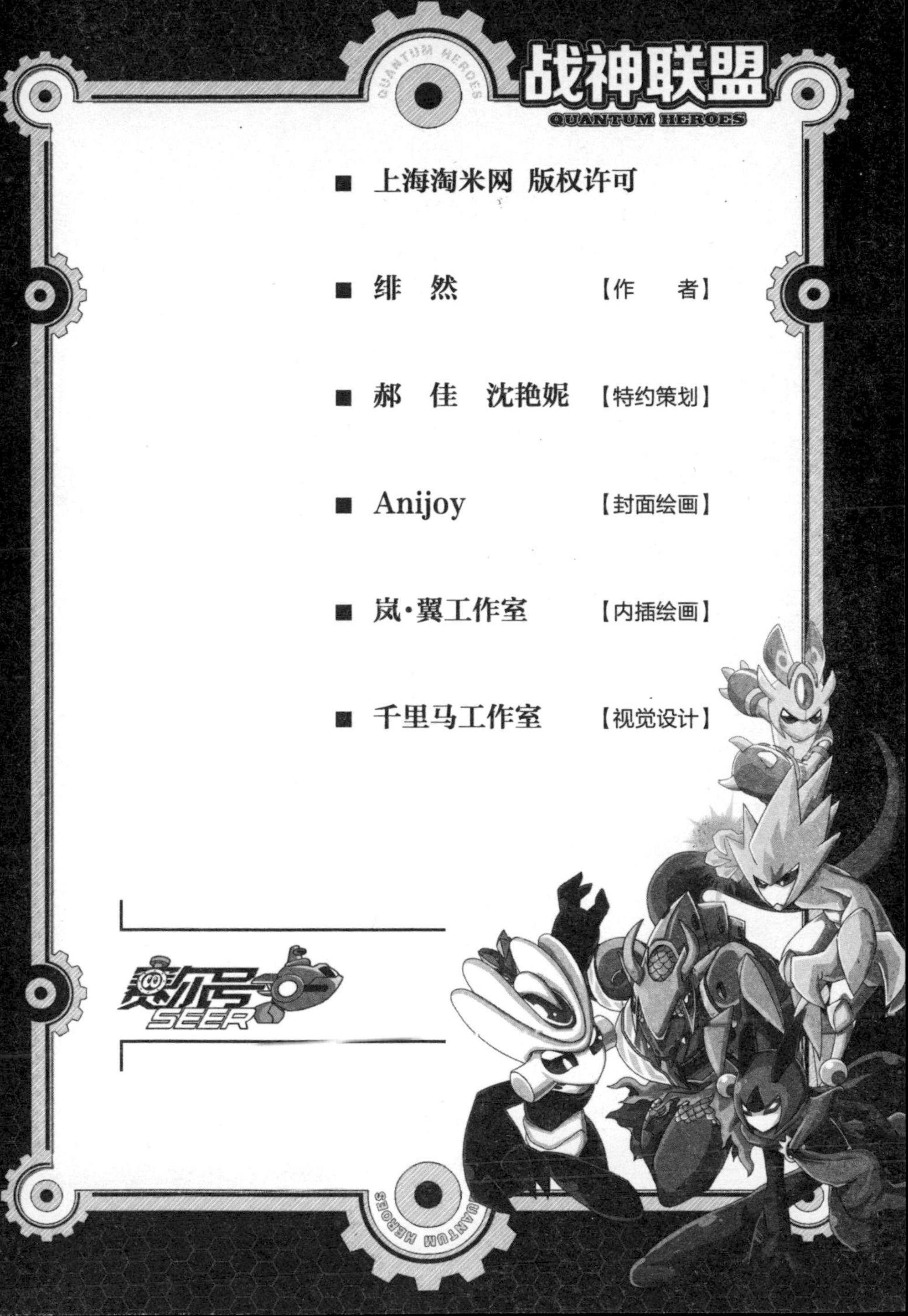

■ 上海淘米网 版权许可

■ 绯 然 【作 者】

■ 郝 佳 沈艳妮 【特约策划】

■ Anijoy 【封面绘画】

■ 岚·翼工作室 【内插绘画】

■ 千里马工作室 【视觉设计】

图书在版编目(CIP)数据

赛尔号 战神联盟.14,基因实验/ 绯然著.—杭州:浙江少年儿童出版社,2015.5
ISBN 978-7-5342-8660-5

Ⅰ.①赛… Ⅱ.①绯… Ⅲ.①儿童文学-中篇小说-中国-当代 Ⅳ.①I287.45

中国版本图书馆 CIP 数据核字(2015)第 048410 号

赛尔号 战神联盟
⑭基因实验
绯然 著

责任编辑 吴遐
美术编辑 周翔飞
特约策划 郝佳
特约编辑 沈艳妮
美术设计 千里马工作室
封面绘制 Anijoy
内插绘制 岚·翼工作室
责任校对 沈鹏
责任印制 林百乐

浙江少年儿童出版社出版发行
地址:杭州市天目山路 40 号
宁波市大港印务有限公司印刷
全国各地新华书店经销
开本 830×1220 1/32
印张 4.75 彩插 6
字数 75000
印数 1—30000
2015 年 5 月第 1 版
2015 年 5 月第 1 次印刷
ISBN 978-7-5342-8660-5
定价:15.00 元